Chères lectrices,

Avouons-le… après l[...] a de quoi se trouver dépha[...]st sans crier gare qu'une [...]ns nos agendas, nos calendriers ; les premiers jours, nous avons d'ailleurs bien du mal à nous habituer à cette série de chiffres peu familière !

Et puis, il faut reconnaître que nous éprouvons une certaine réticence à quitter l'année qui vient de s'achever. Nous la connaissions si bien… douze mois vécus ensemble, ce n'est pas rien !

Pourtant, avec le temps, nous finirons bien par nous familiariser avec la nouvelle venue. Telle une amie que l'on apprend à connaître, nous lui confierons nos projets, nos espoirs et nos bonnes résolutions… et elle nous accompagnera fidèlement jusqu'à la prochaine année qui la remplacera.

De mon côté, je peux vous annoncer que la collection Azur vous réserve de très belles surprises pour l'année 2005 : des histoires d'amour intenses et passionnées, des romans et des miniséries signées de vos auteurs préférés — Emma Darcy, Sandra Marton, Carole Mortimer… — sans oublier de nouveaux talents, comme Darcy Maguire, dont je ne manquerai pas de vous parler le moment venu.

D'ici-là, tous mes vœux de bonheur, santé et prospérité !

La responsable de collection

L'héritière en fuite

SOPHIE WESTON

L'héritière en fuite

COLLECTION AZUR

éditions Harlequin

Cet ouvrage a été publié en langue anglaise
sous le titre :
THE INDEPENDENT BRIDE

Traduction française de
ELISABETH MARZIN

HARLEQUIN®

est une marque déposée du Groupe Harlequin
et Azur ® est une marque déposée d'Harlequin S.A.

83-85, boulevard Vincent-Auriol, 75013 PARIS — Tél. : 01 42 16 63 63
Service Lectrices — Tél. : 01 45 82 47 47
ISBN 2-280-20366-9 — ISSN 0993-4448

Prologue

A Kennedy Airport, dans la salle d'embarquement du dernier vol pour Londres, un jeune correspondant de télévision scrutait la foule dans l'espoir de reconnaître une célébrité. Soudain, son visage s'éclaira.

— Vous avez vu qui est là ? demanda-t-il en donnant un coup de coude à son compagnon.

Bobby Franks, chroniqueur financier aussi réputé pour son flegme que pour la pertinence de ses analyses, répliqua d'un air blasé :

— Si vous faites allusion à Steven Konig, je l'avais déjà repéré dans le hall de départ.

Martin Tammery fit un tour complet sur lui-même.

— Konig ? Le spécialiste de l'agroalimentaire champion de la lutte contre la faim ? Où est-il ?

— Il a embarqué en priorité.

Le jeune journaliste ignora le ton supérieur de son aîné.

— En fait, je viens d'apercevoir quelqu'un de beaucoup plus intéressant.

Il fit une pause, espérant attiser la curiosité de Bobby Franks. Mais ce dernier se contenta de réprimer un bâillement.

Sans se laisser démonter, Martin Tammery annonça triomphalement :

— La Tigresse !

Une lueur s'alluma dans les yeux du chroniqueur financier.

— L'héritière Calhoun ?

— Pepper Calhoun en personne, acquiesça le jeune journaliste, ravi de montrer qu'il connaissait le surnom donné par ses proches à Penelope Anne Calhoun.

— C'est intéressant, finit par admettre Bobby Franks après un instant de réflexion.

— Ne pensez-vous pas que si la Tigresse se rend à Londres, c'est parce que l'entreprise Calhoun Carter prépare une O.P.A. sur une enseigne de la distribution britannique ?

Bobby Franks eut une moue dubitative.

— D'après mes renseignements, la jeune fille ne travaille pas encore pour Calhoun Carter. Sa grand-mère, Mary Ellen Calhoun, a annoncé que son héritière allait enrichir son expérience hors de l'empire familial avant de l'intégrer définitivement dans quelque temps.

Martin Tammery ouvrit de grands yeux.

— Vous y croyez vraiment ?

— Pourquoi pas ? Pepper Calhoun a peut-être décidé de faire une pause après ses longues études. Quel âge a-t-elle ? Vingt-six ans ? Vingt-sept ? Il ne serait pas étonnant qu'elle ait envie de s'amuser un peu avant de prendre la succession de Mary Ellen Calhoun à la tête du groupe.

— Vous plaisantez ! Pour la Tigresse, « s'amuser » consiste à travailler dix-huit heures par jour, au minimum. D'ailleurs, elle n'a pas eu un seul petit ami depuis des années.

— Raison de plus pour qu'elle s'accorde un interlude amoureux.

— Aucune chance ! Pepper Calhoun est imperméable à l'amour.

Bobby Franks arqua les sourcils.

— Comment pouvez-vous être aussi catégorique ?

— J'ai mes sources, rétorqua Martin Tammery avec assurance. Croyez-moi, c'est la digne petite-fille de sa grand-mère. Son cœur est aussi sec que son ambition est démesurée.

1.

Penelope Anne Calhoun s'adossa contre le mur de la salle d'embarquement avec un soupir. Quelle semaine ! Dire que huit jours plus tôt elle croyait son avenir tout tracé... Elle avait alors un projet professionnel enthousiasmant, des amis dévoués, et un appartement superbe à New York. Bref, la vie lui souriait.

En cette époque qui lui semblait déjà lointaine, il lui restait encore à informer sa grand-mère qu'elle avait décidé de voler de ses propres ailes. Cependant, elle avait réussi à se convaincre que c'était un problème mineur. Une fois le montage financier de son projet de boutique de prêt-à-porter terminé, elle présenterait son projet à Mary Ellen Calhoun, qui ne manquerait pas de l'approuver.

Même les doutes émis par son ancien professeur de l'école de commerce n'avaient pas tempéré son optimisme.

— Le Grenier est un concept de boutique très intéressant, avait-il reconnu. Je suis certain qu'il peut connaître un grand succès. Mais ne craignez-vous pas la réaction de votre grand-mère ?

— Pourquoi devrais-je la craindre ?

— En tant que P.-D.G. de Calhoun Carter, ne risque-t-elle pas de prendre ombrage de cette concurrence ?

— Vous me flattez, professeur, avait-elle répondu en riant. Calhoun Carter possède des dizaines de succursales aux Etats-Unis et dans le monde. Le Grenier ne peut pas prétendre rivaliser avec un groupe de cette importance.

— Sans doute. Mais croyez-vous vraiment que votre grand-mère va approuver votre désir d'indépendance ?

— Au début elle protestera sans doute, mais je sais qu'elle finira par me comprendre. Ma grand-mère veut mon bonheur. Elle m'aime, voyez-vous, avait-elle affirmé.

Comme elle se trompait ! Elle l'avait constaté peu de temps après cette conversation. Fermant les yeux, Pepper revécut pour la énième fois la journée qui avait bouleversé sa vie.

— Où m'emmènes-tu exactement ?

Ed se contenta de secouer la tête en indiquant qu'il n'avait pas entendu sa question. Il était vrai qu'il régnait un bruit assourdissant à bord de l'hélicoptère...

Une demi-heure plus tôt, il l'avait entraînée à l'héliport en lui expliquant qu'il avait organisé une rencontre avec des investisseurs susceptibles d'être intéressés par le Grenier. Ed Ivanov, qu'elle connaissait depuis toujours, faisait partie du petit cercle d'intimes au courant de son projet. Ayant une confiance absolue en lui, elle l'avait suivi sans la moindre hésitation.

Mais ils avaient laissé New York derrière eux depuis un bon moment déjà et Ed ne lui avait donné aucune précision sur ce mystérieux rendez-vous. En fait, il n'avait pas ouvert la bouche depuis le décollage...

Quelle raison pourrait-il avoir de la kidnapper ? se demanda-t-elle, mi-amusée mi-sérieuse. A priori, elle ne voyait que trois possibilités. Ou il avait l'intention de réclamer une rançon. Ou il était éperdument amoureux d'elle. Ou il était subitement devenu fou.

Pepper réprima un sourire. Ed Ivanov n'avait pas besoin d'argent. Il menait une brillante carrière d'analyste à Wall Street et son train de vie n'avait rien à envier au sien. Quant à imaginer qu'il puisse être amoureux d'elle, c'était insensé. Certes, ils avaient eu une brève liaison pendant leurs études, mais la passion n'avait pas été au rendez-vous et ils y avaient mis fin d'un commun accord.

Serait-il devenu fou ?

Soudain, alors qu'ils survolaient une forêt, l'hélicoptère plongea vers le sol et se posa au milieu d'une clairière.

— La cabane de pêche de mon père est à deux pas d'ici, annonça Ed en l'aidant à descendre.

— Très original comme lieu de rendez-vous pour discuter affaires, ironisa-t-elle, de plus en plus perplexe.

Pour toute réponse, il eut un sourire crispé. Puis il l'invita à le suivre sur un chemin boueux. Ses élégants escarpins hors de prix ne se remettraient jamais de cette escapade, songea-t-elle, résolue à prendre les choses avec humour.

La pluie dégouttait des arbres et bientôt, sa crinière rousse se mit à onduler naturellement.

— Si la C.I.A. a l'intention de me recruter, je te préviens tout de suite qu'il n'en est pas question, déclara-t-elle d'un ton pince-sans-rire.

Mais ce n'était pas avec la C.I.A. qu'elle avait rendez-vous. Ni avec des investisseurs potentiels. Alors qu'ils approchaient de la cabane, quelqu'un sortit sur le seuil.

Sa grand-mère.

Clouée sur place, Pepper sentit son sens de l'humour s'évanouir instantanément. Elle darda sur Ed un regard meurtrier.

Il feignit de ne rien remarquer.

— Que t'a-t-elle promis si tu réussissais à m'amener jusqu'ici ? demanda-t-elle sèchement.

— Rien du tout, répliqua-t-il en prenant un air offensé. Elle m'a juste demandé de l'aider à t'empêcher de commettre une énorme erreur.

— Une énorme erreur ! Je croyais que tu trouvais mon projet fantastique. Comment as-tu pu retourner ta veste aussi rapidement ?

— Ecoute, Pepper, le Grenier est un excellent projet, mais il faudrait y consacrer plusieurs années avant qu'il devienne rentable. Mary Ellen ne veut pas attendre aussi longtemps ton intégration au sein de Calhoun Carter.

— Depuis quand appelles-tu ma grand-mère Mary Ellen ?

Il baissa les yeux sans répondre.

— Je n'aurais jamais dû te faire confiance, lâcha Pepper avec mépris.

Puis elle prit une profonde inspiration et se dirigea vers la cabanc. Mary Ellen Calhoun s'avança vers elle les mains tendues, un sourire éclatant aux lèvres. Cependant, Pepper avait appris à se méfier de ce sourire.

— Bonjour, se contenta-t-elle de dire d'un ton posé sans esquisser un seul geste.

Mary Ellen ne cilla pas, mais elle était manifestement surprise par l'assurance de sa petite-fille. Pas étonnant, songea Pepper. Elle ne se reconnaissait pas elle-même...

— Je suis si heureuse de te voir, ma chérie, dit Mary Ellen d'une voix doucereuse.

— Va droit au fait, s'il te plaît.

Mary Ellen eut une moue enjôleuse.

— Viens d'abord te mettre à l'abri.

— Et Ed ?

— C'est un homme. Un peu de pluie ne le tuera pas.

— Avoue plutôt que tu ne veux pas de témoin.

Ignorant cette remarque, Mary Ellen Calhoun pénétra dans la cabane. A l'instant précis où Pepper refermait la porte derrière elle, elle jeta le masque. Son sourire disparut et elle toisa sa petite-fille d'un regard glacial.

— Décidément, tu es encore plus naïve que je ne le pensais, ma pauvre Penelope Anne. T'imaginais-tu vraiment pouvoir comploter derrière mon dos impunément ?

— Je ne...

— Ton projet n'est pas inintéressant, coupa Mary Ellen d'un ton cassant. Malheureusement, je crains que tu aies du mal à le réaliser. Le service financier de Calhoun Carter a informé tous les investisseurs potentiels que s'ils te prêtaient le moindre dollar, nous mettrions immédiatement fin à leurs relations avec notre groupe.

Pepper se figea.

— Je vois. Je suppose que ça date de ce matin et que tu as demandé à Ed de m'éloigner de la ville au cas où je trouverais une parade.

Mary Ellen laissa échapper un petit rire méprisant.

— Quelle parade ? Il n'y en a aucune possible. Je veux que tu intègres Calhoun Carter et c'est ce que tu vas faire.

Elle consulta son agenda électronique.

— Disons... milieu de semaine prochaine ? Je vais dire à Jim de te préparer un bureau.

— Non, c'est inutile, déclara Pepper d'une voix très calme.

— 7 h 45, mercredi, annonça Mary Ellen comme si elle n'avait pas entendu. Présente-toi au siège sans faute.

— J'ai dit non.

Mary Ellen haussa les épaules.

— Tu n'as pas le choix. Ta petite entreprise ne verra jamais le jour et tu ne trouveras de travail nulle part. Qui d'autre que moi t'engagerait ? Il me suffirait de répandre des rumeurs peu flatteuses sur ton compte pour que toutes les portes se ferment devant toi.

Pepper en resta sans voix. Elle qui croyait que sa grand-mère l'aimait ! Comment avait-elle pu être aussi aveugle ? En réalité, Mary Ellen Calhoun n'aimait que le pouvoir et l'argent. Elle dédaignait tout le reste, y compris sa propre petite-fille... D'ailleurs, il était manifeste qu'elle ne doutait pas un instant de l'issue de cet entretien. Eh bien, son aïeule allait déchanter.

Prenant une profonde inspiration, Pepper déclara d'une voix égale :

— Je te répète qu'il est inutile de m'attendre. Je ne viendrai pas mercredi, ni aucun autre jour.

Puis elle subit stoïquement une pluie d'invectives. Elle ne s'était pas trompée. Mary Ellen Calhoun n'avait pas imaginé une seule seconde que sa petite-fille lui tiendrait tête. Hors d'elle, son aïeule lui rappela tout ce qu'elle devait à Calhoun Carter. Un appartement à New York, une villa dans le midi de la France, une résidence dans les Caraïbes, et surtout, des études dans les établissements les plus prestigieux.

— Pourquoi crois-tu que tu as pu intégrer l'école de commerce si facilement ? lança-t-elle d'une voix vibrante de colère.

— Parce que mes résultats étaient excellents ! protesta Pepper, outrée. Oublies-tu que je venais d'obtenir un prix ?

— Pour ton mémoire sur la « résolution de problèmes », acquiesça sa grand-mère avec un rictus moqueur. Parlons-en ! Peux-tu me citer une seule occasion où tu as été obligée de te débrouiller seule ? Toutes les solutions à tes problèmes ont été achetées par l'argent des Calhoun.

Mary Ellen se fit un plaisir de les énumérer. Etudes, logement, habillement, voyages, ainsi que toutes ses relations sociales, y compris les jeunes gens qui avaient consenti à flirter avec elle.

En entendant cela, Pepper eut l'impression de recevoir un coup de poing dans l'estomac. Le souffle coupé, elle eut toutes les peines du monde à parler.

— Que veux-tu dire ?

Un sourire cruel étira les lèvres de Mary Ellen.

— Si tu savais quelles fortunes j'ai dû dépenser pour t'offrir une vie sociale digne de ce nom, ma pauvre chérie ! Qui s'intéresserait à toi si tu n'étais pas ma petite-fille ? Regarde-toi ! Tu ressembles à un sac de pommes de terre. Ta seule qualité, c'est ton sens des affaires. Dans lequel j'ai investi suffisamment d'argent pour être en droit d'exiger aujourd'hui que tu le mettes au service de Calhoun Carter.

Pepper tremblait à présent de tous ses membres. Certes, elle était la première à reconnaître qu'elle n'avait pas la taille mannequin. Mais de là à être traitée de sac de pommes de terre ! Par ailleurs, elle avait toujours pensé que sa compagnie était appréciée. D'une voix blanche, elle le dit à sa grand-mère.

— Je suppose que tu t'imagines aussi qu'un jour le prince charmant t'enlèvera sur son beau cheval blanc ? persifla cette dernière. Quelle naïveté ! Ma pauvre Penelope Anne, tu ne trouveras à te marier que si je t'achète un époux. Mais ne t'inquiète pas pour cela. Je t'ai préparé une longue liste de très bons candidats potentiels.

Cette fois, la coupe était pleine, songea Pepper, au bord de la nausée. Il n'était pas question de subir une telle humiliation une seconde de plus. Sans un mot, elle pivota sur elle-même et sortit de la cabane.

— Où vas-tu ? s'exclama Mary Ellen. Reviens immédiatement !

Pepper ne se retourna pas. Elle s'élança aussi vite qu'elle le put sur le chemin détrempé. Les yeux brouillés de larmes, elle trébucha et tomba à genoux. Mais, insensible à la douleur, elle se releva aussitôt et reprit sa course. Une seule chose importait. Fuir cette femme sans cœur qui ne voyait en elle qu'un investissement à rentabiliser.

— Ramène-moi à New York, intima-t-elle à Ed quand elle le rejoignit, échevelée et haletante. Immédiatement.

Il n'hésita que quelques secondes. La prenant par le bras, il l'entraîna vers la clairière où les attendait l'hélicoptère.

En montant à bord, Pepper entendit une dernière fois les imprécations de sa grand-mère.

— Tu ne t'en sortiras jamais toute seule, Penelope Anne Calhoun, tu m'entends ?

Toujours adossée au mur de la salle d'embarquement, Pepper rouvrit les yeux. Un groupe de personnalités qui venaient d'être appelées à embarquer en priorité passa devant elle. Depuis une semaine, elle n'appartenait plus à cette catégorie privilégiée, songea-t-elle sans regret. Quelle importance ? La liberté était bien plus précieuse que les privilèges. A Londres, elle commencerait une nouvelle vie, et contrairement à ce que pensait Mary Ellen Calhoun, elle s'en sortirait toute seule.

— Bienvenue à bord, professeur Konig, déclara l'hôtesse de l'air avec un large sourire. Si vous voulez bien me suivre...

Elle escorta Steven Konig jusqu'à son siège.

— Je ne m'habituerai jamais à être traité comme un V.I.P., marmonna-t-il à son compagnon.

David Guber eut un sourire amusé.

— Allons Steven, pas de fausse modestie ! Si on te traite comme un V.I.P. c'est parce que tu en es un. Ta réputation t'interdit désormais de traverser l'Atlantique avec les genoux dans le menton.

Steven ne put s'empêcher de rire.

— D'autant plus que nous te devons une reconnaissance éternelle, ajouta David Guber, qui appartenait à la direction de la compagnie aérienne. Sans toi, le congrès n'aurait pas été un tel succès.

— N'exagère pas !

— Si, je t'assure. Ton discours d'ouverture était particulièrement brillant.

— C'est parce que le sujet me passionne. En fait, il y avait longtemps que je pensais à rédiger un article de fond sur la question.

— Comme si tu n'étais pas déjà suffisamment occupé !

— Justement, j'avais besoin de varier un peu les plaisirs. Depuis quelque temps, j'ai l'impression de passer ma vie à courir de réunion en réunion, expliqua Steven Konig avec une moue désabusée.

David Guber le regarda d'un air perplexe.

— Regretterais-tu l'époque où tu ne cumulais pas encore les fonctions ?

— Je n'ai qu'une seule fonction, mon cher. La présidence de K-plant. La direction de Queen Margaret's est un sacerdoce. Demande au doyen.

Les deux hommes échangèrent un sourire complice. Leur amitié datait de l'époque où ils étaient étudiants au collège Queen Margaret's de l'université d'Oxford. Et où leurs frasques leur valaient d'être régulièrement convoqués chez le doyen...

— Ce cher homme n'est pas heureux que tu aies réintégré le collège ?

— Il s'efforce avec succès de cacher sa joie, répliqua Steven d'un ton pince-sans-rire.

— Ça doit pimenter ta vie.

— Oh, de toute façon, j'ai renoncé à la tranquillité le jour où j'ai créé ma propre entreprise. Heureusement, K-plant ne m'accapare plus autant qu'au début. Sinon, je ne vois pas comment je pourrais assumer parallèlement la direction de Queen Margaret's.

Pendant plusieurs années, Steven Konig avait consacré ses jours et ses nuits à son laboratoire de recherche agroalimentaire, qu'il avait réussi à hisser au plus haut niveau.

— Tu n'as jamais envie de lever le pied ? demanda David.

— Jamais. Même s'il m'arrive de pester contre certaines obligations, je ne changerais de vie pour rien au monde.

David se souvint de la superbe blonde dont Steven était follement épris quand ils étaient étudiants. Son ami n'y avait plus fait allusion depuis des années. Ni à aucune autre femme, d'ailleurs.

— Tu n'envisages pas de fonder une famille ?

Une ombre passa dans le regard de Steven. Il ne répondit pas.

— N'oublie pas que tu as promis de venir passer tes prochaines vacances chez nous, s'empressa de reprendre David. Marise et moi comptons sur toi.

Le visage de Steven s'illumina d'un sourire espiègle. Le même que celui de l'étudiant facétieux qui, des années auparavant, avait réussi à déclencher à distance un feu d'artifice depuis la tour du collège.

— Je ne te promets rien, mais d'ici quatre ou cinq ans, je devrais réussir à me libérer pendant quelques jours.

David leva les bras en mimant le désespoir.

— Tu es complètement fou !

— C'est la rançon de la gloire, répliqua Steven, les yeux pétillants de malice. Si je suis devenu un V.I.P., c'est entre autres parce que j'ai banni le mot « vacances » de mon vocabulaire.

David soupira.

— En tout cas, tu sais que notre maison t'est ouverte.

Sur ce, il dit à l'hôtesse de l'air qui se tenait à proximité :

— Je compte sur vous pour traiter le professeur Konig avec les égards qui lui sont dus.

Il serra la main de son ami avec chaleur.

— Bon voyage, Steven. Et encore merci.

Avant même que David Guber ait quitté l'appareil, Steven avait ouvert son porte-documents.

— Désirez-vous une boisson ? s'enquit l'hôtesse avec déférence.

— Non, merci.

— Une serviette chaude ?

— Rien. Ou plutôt... Si vous voulez vraiment me rendre service, faites-en sorte que personne ne me dérange.

Il avait aperçu à l'aéroport plusieurs congressistes britanniques. Nul doute qu'ils seraient ravis de profiter du voyage pour lui mettre le grappin dessus.

— Vous n'avez aucune inquiétude à avoir, professeur.

Il travailla longtemps après que le personnel de bord eut éteint les lumières de la cabine. Une fois mis à jour les comptes de K-plant, il écrivit deux lettres et une note de service, puis rédigea un bref article que lui avait commandé une revue scientifique. Quand il eut terminé, il consulta sa montre. Il avait encore trois heures de sommeil devant lui, constata-t-il avec satisfaction.

Avec un soupir d'aise, il s'installa confortablement sur son siège couchette et éteignit sa lumière. Quelques secondes plus tard, il dormait.

C'était la première fois de sa vie que Pepper voyageait en classe économique. Quelle expérience ! Jamais elle n'aurait imaginé qu'il puisse exister des sièges aussi étroits, songea-t-elle avec dérision en s'efforçant d'esquiver les coups de coude involontaires de sa voisine.

Celle-ci, visiblement nerveuse, s'agita un long moment avant de s'endormir. Deux ou trois rangées derrière elles, un groupe de jeunes cadres dynamiques un peu ivres commentaient bruyamment un congrès auquel ils avaient participé à New York. Quand les hôtesses leur demandèrent enfin de se montrer plus discrets, Pepper avait perdu tout espoir de trouver le sommeil.

Voilà, l'aventure commençait, se dit-elle en s'efforçant de prendre la situation avec philosophie. Conquérir son indépendance valait bien quelques sacrifices. Réprimant un frisson, elle se couvrit de la fine couverture fournie par la compagnie, et se remémora les journées qui avaient précédé son départ.

Certes, elle savait qu'en tenant tête à sa grand-mère elle s'exposait à des désagréments. Cependant, elle avait sous-estimé la dureté de Mary Ellen Calhoun. Ce qui prouvait à quel point elle était naïve...

Le lendemain de leur entrevue dans la cabane, elle avait été mise en demeure de quitter son appartement. Cela ne l'avait pas vraiment surprise puisque c'était sa grand-mère qui en était propriétaire. En revanche, elle ne s'attendait pas à ce que son carnet de rendez-vous se vide aussi rapidement, ni à ce que sa carte de crédit Platinum devienne subitement inutilisable...

Elle avait bien essayé de joindre sa grand-mère par téléphone, mais celle-ci avait refusé de prendre scs appels. Et quand elle avait fini par se rendre au siège de Calhoun Carter, Mary Ellen avait refusé de la recevoir. Pire, elle l'avait fait attendre une demi-heure avant de lui envoyer deux agents de la sécurité chargés de la raccompagner fermement à la sortie.

A ce souvenir, Pepper sentit son estomac se nouer.

— Pourquoi ? avait-elle demandé à Carmen.

La secrétaire de Mary Ellen, qui la connaissait depuis toujours, avait eu du mal à retenir ses larmes. Toutefois, elle n'avait pas eu un geste pour arrêter les deux hommes.

— Tout le monde va penser que je suis coupable des pires horreurs, avait plaidé Pepper.

— C'est l'effet recherché, avait répliqué Carmen d'une voix tremblante.

Pepper en avait eu le souffle coupé.

— Vous voulez dire... que c'est une mise en scène destinée à me discréditer ?

La secrétaire avait hoché la tête en se mouchant bruyamment.

Outrée, Pepper avait alors tourné les talons. Une fois de retour chez elle, elle avait récapitulé ses atouts :

un solide sens des affaires, une garde-robe regorgeant de tailleurs stricts, assez d'argent pour vivre pendant six mois sans faire de folies, et la maîtrise de trois langues étrangères. Sans oublier, bien sûr, un projet professionnel dont même Mary Ellen Calhoun avait reconnu qu'il n'était pas « inintéressant ».

Pepper était en train de commencer ses cartons quand on avait sonné à la porte.

A contrecœur, elle avait invité Ed Ivanov à entrer.

Une fois dans le salon, il lui avait posé les mains sur les épaules, mais elle s'était dégagée d'un mouvement brusque.

— Inutile de prendre cet air lugubre ! avait-elle lancé, excédée. Personne n'est mort.

— Sans doute, mais ton avenir professionnel n'en est pas moins extrêmement compromis. Ecoute, Pepper, tu ne vas tout de même pas gâcher ta vie pour un caprice ! Il faut que tu te réconcilies avec Mary Ellen. Ta place est chez Calhoun Carter.

— D'autant plus que je n'ai aucune chance de rencontrer le prince charmant, n'est-ce pas ? avait-elle rétorqué avec amertume.

Ed avait paru déconcerté.

— Pardon ?

Rassemblant tout son courage, elle avait demandé :

— S'il te plaît, Ed, sois franc. Pourquoi es-tu sorti avec moi ? Etait-ce parce que je te plaisais ou y avait-il une autre raison ?

— Tu me plaisais, bien sûr.

Il n'avait hésité qu'une fraction de seconde avant de répondre, mais cela avait suffi à la renseigner.

Son cœur s'était serré douloureusement. Tout au fond d'elle-même, elle avait gardé l'espoir que sa grand-mère lui avait menti pour la garder sous sa coupe. Mais de toute évidence, elle ne lui avait dit que la stricte vérité…

— Merci, avait-elle murmuré. Au revoir.

Cette nuit-là elle n'avait pas fermé l'œil. Jamais elle ne s'était sentie aussi seule de sa vie. Au petit matin, elle avait pris la décision de partir. Quitter les Etats-Unis pour recommencer sa vie loin de Mary Ellen Calhoun était la seule solution.

En quelques jours, elle avait vendu ou donné toutes ses affaires, fait ses adieux aux quelques amis sincères à qui elle risquait de manquer, puis quitté son appartement. Au moins, Mary Ellen n'avait pas eu le temps d'envoyer un huissier pour l'expulser…

L'heure de vérité avait sonné, songea-t-elle avec une pointe d'anxiété, alors que le silence régnait enfin dans la cabine de l'avion. Elle allait bientôt découvrir si elle était aussi douée pour résoudre les problèmes dans la vie réelle que sur le papier.

En tout cas, il n'était pas question d'abandonner son projet. Puisque le Grenier était condamné aux Etats-Unis, il verrait le jour en Angleterre.

Etait-ce également là qu'elle rencontrerait le prince charmant ? Elle ferma les yeux. Mieux valait ne pas se bercer d'illusions. Sur ce point, sa grand-mère avait sans doute raison…

En première classe, Steven Konig se réveilla avant tout le monde. Après s'être étiré avec volupté en humant une bonne odeur de café, il se leva et gagna le cabinet de toilette.

Devant le miroir, il passa la main sur sa barbe de vingt-quatre heures, particulièrement drue. Bien des années auparavant, Courtney prenait plaisir à le taquiner à ce sujet. Elle prétendait avoir eu le choc de sa vie la première fois qu'elle s'était réveillée à son côté. « Mon prince charmant s'est métamorphosé en pirate au cours de la nuit ! » lui avait-elle dit au petit matin.

C'était à l'époque où ils nageaient dans le bonheur. Avant qu'elle lui préfère Tom Underwood, un riche héritier qui n'avait pas besoin de travailler comme pompiste pour financer ses études. Le fait que Tom soit son meilleur ami ne l'avait pas embarrassée le moins du monde...

En ce moment même, il est vrai qu'il ressemblait plus à un pirate qu'à un chef d'entreprise doublé d'un membre éminent de l'université d'Oxford, songea-t-il avec dérision. Mais après tout, pourquoi ne pas se laisser aller, pour une fois ? Il avait tenu consciencieusement son rôle pendant plus d'une semaine à ce fichu congrès, allant même jusqu'à se raser deux fois par jour ! Il avait mérité de s'accorder une pause, décida-t-il en rangeant son rasoir. S'il avait envie de jouer les Barbe-noire, c'était bien son droit.

Il termina ses ablutions et revêtit une chemise propre puis sortit dans l'allée où quelqu'un le heurta de plein fouet.

— Oh, excusez-moi ! s'exclama une voix féminine, tandis qu'une trousse de toilette tombait à ses pieds.

Steven ramassa cette dernière et la rendit à sa propriétaire, une jeune femme rousse aux cheveux en bataille et aux traits tirés. Apparemment, elle n'avait pas fermé l'œil de la nuit...

— C'est à moi de vous présenter des excuses, déclara-t-il galamment. Pardonnez ma maladresse.

Serrant la trousse contre sa poitrine, la jeune femme secoua la tête.

— Non, vous n'y êtes pour rien. D'autant plus que je ne devrais pas me trouver là.

— Dois-je en déduire que vous êtes une passagère clandestine ? plaisanta-t-il.

— Oui... Enfin non, pas exactement. Je viens de la classe économique.

Elle ressemblait à une gamine prise en faute, se dit-il, amusé. Il était sur le point de s'écarter pour lui laisser le passage quand l'avion s'inclina légèrement sur son aile. La clarté de l'aube, très vive à cette altitude, inonda la cabine, tandis que la jeune femme vacillait. Déséquilibrée, elle lui tomba dans les bras et Steven fut alors submergé par une vague de désir qui lui coupa le souffle.

Ce corps voluptueux était si doux contre le sien... Et sous les rayons du soleil levant qui embrasaient son épaisse crinière, donnant à ses yeux émeraude un éclat presque insoutenable, l'inconnue avait désormais l'allure d'une déesse.

Steven eut soudain l'envie folle de l'embrasser. Il déglutit péniblement. « Ressaisis-toi, mon vieux ! Tu n'as pas l'étoffe de Barbe-noire... »

Après avoir remis sa Vénus flamboyante bien d'aplomb sur ses jambes, il la lâcha à regret.

— Je suis vraiment désolée. Vous ai-je fait mal ? s'enquit-elle d'un air contrit.

De toute évidence, elle n'avait pas eu conscience du trouble qui s'était emparé de lui, songea-t-il avec satisfaction.

— Pas du tout. Une fois de plus, c'est à moi de vous présenter des excuses.

— Non, c'est ma faute. Je... J'ai l'esprit ailleurs.

— Je sais ce que c'est, commenta-t-il d'un ton apaisant. En avion, j'ai toujours l'impression de me trouver dans une autre dimension. Le temps semble suspendu et c'est propice à la rêverie. Il m'arrive de décoller complètement de la réalité. Ce qui n'est pas si étonnant quand on se trouve en plein ciel, ajouta-t-il, les yeux pétillants de malice. Mais gare à l'atterrissage ! Il est parfois brutal.

Sa compagne éclata d'un rire argentin. Un vrai rire de déesse, songea Steven. Doux comme un gazouillis et d'une spontanéité rafraîchissante. Il y avait longtemps qu'il n'avait pas rencontré une créature aussi adorable... Désireux de la retenir, il demanda :

— C'est la première fois que vous allez en Angleterre ?

— Non, mais mon précédent voyage remonte à de nombreuses années. Si j'ai le temps, je recommencerai volontiers la visite de la Tour de Londres et de la cathédrale Saint-Paul.

— Vous êtes en voyages d'affaires ?

— En quelque sorte.

Steven fut fasciné par la fossette qui creusait sa joue quand elle souriait. Toutes les déesses devraient en avoir une, se dit-il. Ça les rendrait plus humaines.

Pris d'une impulsion, il déclara :

— Essayez également de consacrer une journée à Oxford. Les nombreux collèges de l'université sont de véritables merveilles architecturales. Sans oublier la cathédrale et les bibliothèques, bien sûr.

La jeune déesse pouffa et sa fossette disparut. Cependant, cette absence était compensée par les étincelles que jetaient ses splendides yeux émeraude, songea Steven, de plus en plus charmé.

— Quel brillant plaidoyer ! lança-t-elle d'un air taquin. Seriez-vous sous contrat avec la ville pour y promouvoir le tourisme ?

— Pas du tout. Je me contente d'y habiter, répondit-il avec un sourire ravi. Et je vous assure que c'est un véritable bijou. Si vous ne la connaissez pas, vous devez absolument la visiter.

— Je ne me souviens pas y être allée.

— Seriez-vous amnésique ?

A la grande joie de Steven, la jeune femme pouffa de nouveau.

— Non ! Je suis née en Angleterre, mais après le décès de ma mère quand j'avais cinq ans, mon père m'a emmenée aux Etats-Unis.

— Et vous n'êtes jamais revenue ?

— Une seule fois. En fait, depuis une sombre querelle de famille qui remonte à des années, les liens ont été rompus entre le « clan anglais » et le « clan américain ».

Il arqua les sourcils.

— Je ne savais pas que ce genre de brouille pouvait encore exister, mais sans doute est-ce parce que je n'ai pas de famille.

— Heureux homme, commenta-t-elle d'un air espiègle.

Steven fut définitivement conquis. Il fallait à tout prix prolonger cette conversation...

— Allez-vous profiter de ce séjour pour tenter une réconciliation ?

— J'y ai pensé, mais je ne suis pas sûre de retrouver la trace de mes cousines.

Sa déesse avait un menton volontaire... et une bouche pulpeuse des plus appétissantes, songea Steven, la gorge sèche. S'efforçant de masquer son trouble, il déclara :

— Vous les retrouverez certainement. Je suis sûr que vous êtes capable de réussir tout ce que vous entreprenez.

La jeune femme s'empourpra. Emu, Steven eut du mal à se retenir de lui caresser la joue. Décidément, elle était exquise...

— Merci pour le compliment, mais elles n'ont peut-être pas envie de me revoir.

— A mon avis, elles seront ravies, au contraire. Et de toute façon, il faut absolument que vous veniez à Oxford.

Il mit la main dans la poche intérieure de sa veste pour y prendre une carte de visite.

— Puisque vous rentrez chez vous, il faut que vous appreniez à connaître votre pays.

Le visage de l'inconnue se rembrunit.

— Chez moi ? Si seulement c'était possible...

S'interrompant, elle poussa un profond soupir.

Un homme, se dit aussitôt Steven. Une telle tristesse dans le regard d'une femme ne pouvait être due qu'à un homme. Sa belle déesse fuirait-elle un amour déçu ? Cette simple idée suffit à le déprimer profondément.

Renonçant à sortir une de ses cartes, il retira la main de sa poche.

De toute façon, quel que soit le problème de cette jeune femme, ce n'était pas lui qui pourrait le résoudre. « Ne rêve pas, Konig ! s'admonesta-t-il. Tu n'es pas

Barbe-noire et tu n'as aucune chance de l'enlever à bord de ton galion. Va te raser, mets une cravate et cesse de te prendre pour un héros de roman d'aventures ! »

S'effaçant pour la laisser passer, il lui adressa un sourire poli.

— Quoi que vous décidiez, je vous souhaite un excellent séjour. Au revoir, mademoiselle.

Puis il s'éloigna rapidement.

2.

Devant le miroir du cabinet de toilette, Pepper entreprit de démêler son épaisse crinière. Quelle allure elle avait ! Une vraie folle... C'était sans doute ce qu'avait pensé l'homme qu'elle avait bousculé. Dire qu'ensuite, elle lui était carrément tombée dans les bras !

A ce souvenir, elle fut parcourue d'un long frisson. Le contact de ce corps musclé l'avait électrisée. Il fallait reconnaître qu'il émanait de cet homme à la carrure d'athlète et au visage mangé par une barbe noire une virilité à couper le souffle. Malgré tout, c'était bien la première fois qu'elle éprouvait un tel désir pour un parfait inconnu... Etait-il possible qu'il ait ressenti la même chose ? Bien que gênée par la lumière du soleil, il lui avait semblé voir une lueur étrange s'allumer dans les yeux de son compagnon. Elle haussa les épaules. Voilà qu'elle prenait ses désirs pour des réalités ! Tout ça parce qu'il s'était montré aimable avec elle...

Toutefois, elle regagna sa place avec un sourire rêveur aux lèvres et répondit de bonne grâce à sa voisine quand celle-ci engagea la conversation.

Cette habitante du Montana n'avait jamais quitté les Etats-Unis. En fait, c'était la première fois qu'elle prenait l'avion, lui confia cette dernière d'un ton anxieux. Elle n'avait pas osé entreprendre le voyage pour le mariage de sa fille avec un Anglais, mais la naissance de son petit-fils avait fini par la décider.

La pauvre femme s'agrippa aux accoudoirs dès que l'avion amorça sa descente, et laissa échapper un petit cri au moment de l'atterrissage.

Pepper fut surprise par la compassion que lui inspirait sa voisine. En tant qu'héritière de Calhoun Carter, elle avait appris toute jeune à ne pas se préoccuper des états d'âme de ses prochains. Et malheureusement, il fallait bien reconnaître qu'elle en avait pris l'habitude. Pourtant, elle éprouvait le besoin de réconforter cette femme.

— Ne vous inquiétez pas, dit-elle d'une voix douce en lui prenant la main. L'atterrissage se déroule de façon tout à fait normale.

La femme eut un sourire crispé.

— Merci. Vous êtes vraiment très gentille.

Gentille ! Ce n'était pas le genre de compliment dont elle avait l'habitude, songea Pepper avec dérision. « Vous vous trompez, faillit-elle protester. Je n'ai jamais été gentille de ma vie. En affaires, il faut être dur et ne pas s'embarrasser de sentiments. Or je suis une femme d'affaires jusqu'au bout des ongles. » Mais elle se retint. Inutile de perturber un peu plus cette voyageuse novice.

— Vous n'êtes pas stupide, assura-t-elle d'un ton apaisant. Il est normal d'être un peu nerveux quand on prend l'avion pour la première fois. Votre fille vient-elle vous chercher ?

— J'espère bien !

— Si vous ne la voyez pas tout de suite, ne vous inquiétez pas. Nous sommes en avance. C'est très fréquent dans ce sens, à cause du vent. En général les gens qui viennent accueillir des passagers en tiennent compte, mais aujourd'hui nous arrivons particulièrement tôt.

Devant la mine déconfite de sa compagne, Pepper se surprit à proposer :

— Voulez-vous que je reste avec vous jusqu'à son arrivée ?

— Ça ne vous dérangerait pas trop ? demanda sa voisine avec un regard reconnaissant.

— Ne vous inquiétez pas, j'ai tout mon temps. Personne ne m'attend.

Mais quelques instants plus tard, alors qu'elles se dirigeaient vers le hall de livraison des bagages, Pepper tressaillit en entendant son nom.

— Bonjour, mademoiselle Calhoun, dit un jeune homme quand elle se retourna. Je vous avais déjà aperçue dans la salle d'embarquement. Permettez-moi de me présenter. Martin Tammery, journaliste, de retour d'une mission à New York.

Elle qui croyait arriver en Angleterre incognito ! songea-t-elle, contrariée. Le jeune homme avait dû remarquer qu'elle avait voyagé en classe économique. Qu'en avait-il déduit ? Mystère !

— Bonjour, monsieur Tammery.

— Puis-je me permettre de vous demander ce que vous venez faire à Londres ?

Elle hésita un instant avant de répondre avec un sourire poli.

— J'y ai de la famille. Je suis venue lui rendre visite.

— Vraiment ?

De toute évidence le journaliste n'était pas convaincu, mais il eut le bon goût de ne pas insister.

— Dans ce cas, je vous souhaite un excellent séjour. Si vous aviez besoin de quoi que ce soit, n'hésitez pas à m'appeler.

Il sortit une carte de son portefeuille et la lui tendit.

Le cœur de Pepper se serra brusquement tandis que l'image d'un visage énergique mangé par une barbe brune s'imposait à son esprit. L'espace d'un instant, elle avait bien cru que l'inconnu de l'avion allait lui donner sa carte, lui aussi...

— Merci, répondit-elle sans même jeter un coup d'œil sur celle du journaliste.

S'il savait qu'elle avait rompu tout lien Calhoun Carter, il ne prendrait même pas la peine de lui adresser la parole ! songea-t-elle avec dérision.

— Au revoir, monsieur Tammery, ajouta-t-elle avec un bref signe de tête. Enchantée de vous avoir rencontré.

Debout devant le tapis roulant, Steven attendait sa valise en scrutant attentivement la foule. Il y avait tellement de monde qu'il lui semblait impossible de retrouver la trace de sa déesse flamboyante. Pourtant, il aurait donné cher pour la revoir...

Contre toute attente, il aperçut soudain une crinière rousse à l'autre bout du hall. Il s'élança, mais freiné par la cohue, il arriva trop tard. Sa Vénus aux yeux émeraude et au rire argentin avait disparu. Bon sang ! Pourquoi ne lui avait-il pas donné sa carte comme il en avait l'intention ? Quel idiot !

— Steven !

A son grand agacement, il vit surgir devant lui Martin Tammery, ancien étudiant de Queen Margaret's devenu journaliste.

— Devine qui je viens de rencontrer ? s'exclama le jeune homme sans même le saluer. La Tigresse ! Tu te rends compte ? Pepper Calhoun en personne !

— Je ne vois pas de qui tu veux parler, répliqua distraitement Steven tout en recommençant à scruter la foule.

— Tu plaisantes !

Martin Tammery lui détailla la biographie de Pepper Calhoun, mais il ne l'écouta que d'une oreille.

— Elle prétend être en vacances, néanmoins je suis certain qu'elle mijote quelque chose, poursuivit le jeune homme. Si elle s'imagine qu'elle va pouvoir rester incognito à Londres, elle se fait des illusions. Grâce à mon réseau d'informateurs, j'aurai vite retrouvé sa trace. Et figure-toi que je viens d'avoir une idée fantastique ! Tu te souviens du projet d'émission dont je t'ai parlé ?

— Pardon ?

— S'il te plaît, Steven, ne fais pas semblant de ne pas avoir entendu. Nous allons bientôt tourner le pilote de *Profitez de leur expérience*. Tu es toujours d'accord pour y participer, j'espère ?

Steven réprima un soupir. En tant que directeur du collège Queen Margaret's, il pouvait difficilement refuser cette faveur à un ancien élève.

— Bien sûr.

— Merci, je savais que je pouvais compter sur toi. Si j'arrive à organiser un débat entre l'héritière Calhoun et le professeur Konig, le succès de mon émission est assuré !

Mais Steven ne l'écoutait plus. Il ramassa sa valise sur le tapis roulant et se dirigea vers la douane. Que serait-il arrivé s'il avait donné sa carte à cette beauté rousse ? Aurait-elle accepté de le revoir ? Serait-elle près de lui en ce moment ?

A cette pensée, il fut submergé par une vague de désir si intense qu'il en fut stupéfait. Que lui arrivait-il ? Cela faisait une éternité qu'il n'avait pas éprouvé une telle attirance pour une femme. Si seulement il lui avait donné sa carte...

Il prit une profonde inspiration. Inutile de perdre son temps en regrets inutiles. De toute façon, ses multiples responsabilités ne lui laissaient pas le temps d'avoir une vie privée, et c'était très bien ainsi.

Agréablement surprise, Pepper se rendit bien vite compte que se débrouiller seule n'était pas si difficile. Par certains côtés, c'était même amusant.

N'ayant jamais fréquenté que des palaces toujours réservés à l'avance par la très efficace Carmen, elle trouvait un petit côté exotique au fait de chercher une chambre dans un hôtel modeste. A son grand soulagement, elle en trouva une sans trop de difficulté et parvint même à négocier avec le réceptionniste quand il lui précisa qu'elle devrait attendre midi pour prendre possession de sa chambre.

— Je suis épuisée, plaida-t-elle en sortant la seule carte de crédit qui lui restait. Je paierai pour une nuit supplémentaire si vous le souhaitez, mais trouvez-moi un coin où je puisse me reposer.

Dix minutes plus tard, allongée sur un lit confortable, elle sombrait dans le sommeil. Elle dormit jusqu'au soir sans interruption, puis se contenta de faire un tour dans le quartier avant de rentrer se recoucher.

Le lendemain matin, elle voyait la vie d'un autre œil. Dans l'avion, l'inconnu à la barbe brune et au corps d'athlète lui avait affirmé qu'elle était capable de réussir tout ce qu'elle entreprendrait. Avait-il raison ? A présent qu'elle avait dormi tout son soûl, elle était prête à le croire.

Sa première initiative, en sortant de l'hôtel, fut de s'acheter un téléphone portable, dont elle fit aussitôt usage. A la fin de la journée, elle était plutôt satisfaite d'elle-même. Contrairement à ce que pensait Mary Ellen, la résolution de problèmes était bien son point fort...

Une de ses relations avait accepté d'étudier son projet de création d'entreprise, tandis qu'une autre lui avait promis de lui présenter plusieurs personnes qui pourraient lui être utiles. Par ailleurs, elle avait trouvé un emploi temporaire qui lui permettrait de vivre sans écorner son capital. Certes, ce n'était que du secrétariat, mais cela lui éviterait également de ressasser dans son coin les réflexions acerbes de sa grand-mère.

Réconfortée par ces résultats encourageants, elle avait décidé de prendre contact avec le notaire de la famille de sa mère. A New York, elle avait retrouvé une lettre qu'il lui avait envoyée à l'occasion de son vingt et unième anniversaire. Sa grand-mère était tombée dessus par hasard et avait exigé qu'elle rompe toute relation avec sa famille anglaise.

Et bien sûr, à l'époque, elle avait obtempéré...

Elle avait donc hésité avant de lui téléphoner, et seul le souvenir de sa conversation avec l'inconnu de l'avion l'avait aidée à surmonter ses réticences. Le notaire lui avait répondu assez fraîchement, mais il avait accepté de la recevoir dès le lendemain.

— Je dois avouer que je suis surpris, déclara-t-il quand elle lui rendit visite. Je pensais que Mme Calhoun et vous ne vouliez plus avoir aucun contact avec la famille Dare.

— C'est du passé, je voudrais tourner la page.

Il eut une moue sceptique.

— J'ai rompu tout lien avec ma grand-mère, expliqua-t-elle.

— Qu'attendez-vous exactement des Dare ? demanda-t-il d'un air de plus en plus méfiant.

— Pas de l'argent, si c'est ce que vous avez en tête. J'ai l'intention de rester à Londres quelque temps et je me dis que c'est l'occasion ou jamais de renouer avec ma famille.

— Je vois, commenta sobrement le notaire.

— Je ne me souviens pas de ma mère, avoua-t-elle à contrecœur. Je... j'aimerais revoir ma tante et mes cousines. Cette brouille dure depuis trop longtemps. Je n'en connais même pas la cause !

Pour la première fois, le notaire sourit.

— Je transmettrai votre proposition, promit-il.

Il n'attendit pas longtemps pour tenir parole. A la fin de la journée, alors que Pepper se reposait dans sa petite chambre d'hôtel, le téléphone sonna.

— Pepper ? demanda une voix chaleureuse. Oh, je n'arrive pas à y croire ! C'est si bon de te parler après toutes ces années !

— Qui est à l'ap... ?

Pepper s'interrompit. Elle connaissait cette voix. Elle l'entendait encore s'exclamer : « Qu'est-ce que ça peut faire si tu te salis ? Tu vas voir des martins-pêcheurs ! »

— Isabel ? murmura-t-elle, incrédule.

Pepper avait fini par se persuader qu'elle avait inventé ce souvenir. Ou plutôt, c'était sa grand-mère qui lui avait affirmé qu'il était le produit de son imagination.

— Izzy, c'est toi ?

L'éclat de rire qui résonna à l'autre bout de la ligne fit battre le cœur de Pepper. Pas de doute, c'était bien sa cousine ! Dans ses soi-disant fantasmes, elles avaient passé un après-midi ensemble à la campagne. Izzy, couverte de boue, insistait pour qu'elles aillent jouer au bord de l'étang, mais elle hésitait à la suivre car elle était vêtue de sa plus belle robe.

— Oui, c'est bien moi. Tu veux venir jouer avec moi ? demanda Isabel Dare d'un ton malicieux.

Pepper pouffa.

— Tu veux m'emmener au bord de l'étang ?

— J'ai beaucoup mieux à te proposer ! Si tu es d'accord pour partager un appartement avec tes cousines, il y a une chambre qui t'attend.

Le cœur joyeux, Pepper se renversa sur son lit. Elle venait de trouver un foyer ! Décidément, sa nouvelle vie s'annonçait plutôt bien…

N'ayant jamais vécu en colocation, Pepper alla de surprise en surprise.

Alors qu'au manoir des Calhoun, on ne sortait jamais de sa chambre sans être impeccablement habillée et coiffée, Isabel et sa sœur Jemima, surnommée Jay Jay, se promenaient dans l'appartement en sous-vêtements avec des bigoudis sur la tête, tout en se racontant leur soirée de la veille ou leurs projets pour la journée. Par ailleurs, elles partageaient avec bonne humeur vêtements, tâches ménagères et invitations, mais elles étaient également capables de se disputer pour des broutilles.

Après une semaine de cohabitation, Pepper s'était presque habituée au mode de vie de ses cousines.

— Jamais je n'aurais imaginé qu'on puisse vivre dans un tel désordre ! plaisanta-t-elle un soir.

— Ça m'étonnerait ! rétorqua Jemima. Tu as été étudiante, non ? Tous les étudiants vivent dans le désordre.

— Pas moi. J'avais une domestique.

— Une domestique ! s'écrièrent en chœur ses cousines.

— Une femme de ménage, si vous préférez.

— Eh bien nous, nous faisons tout nous-mêmes, déclara fermement Jemima.

— Sauf quand Jay Jay invite ses amis, intervint Izzy, les yeux pétillants de malice. Ces soirs-là, nous faisons appel à un traiteur. Et le lendemain, à une entreprise de nettoyage...

Jemima jeta un coussin à la tête de sa sœur.

Cependant, il y avait du vrai dans cette plaisanterie. Pepper eut plus tard l'occasion de constater que les invités d'Izzy étaient reçus à la bonne franquette, tandis que Jemima mettait systématiquement les petits plats dans les grands.

— C'est à cause de sa carrière de top model, confia Izzy à Pepper. Son agent la pousse à cultiver ses relations.

— Il a entièrement raison ! acquiesça Pepper. Les relations, c'est essentiel. Je suis bien placée pour le savoir, avec mon projet de création d'entreprise.

Ce soir-là, elle se confia pour la première fois à ses cousines. Elle leur parla du Grenier et leur expliqua pourquoi elle s'était brouillée avec sa grand-mère.

— Ton projet semble très intéressant, commenta Jemima, qui adorait faire les boutiques. Donne-nous de plus amples détails.

— Il s'agit de transformer le shopping en activité ludique. En même temps qu'une boutique, le Grenier sera un lieu de détente et de divertissement. Les vêtements et les accessoires ne seront pas exposés sur des portants ou des étagères, mais mis en scène dans un cadre agréable et chaleureux. Il y aura des malles et des meubles avec plein de tiroirs, dans lesquels les clientes s'amuseront à fouiller.

Jemima eut une moue dubitative.

— A mon avis, il vaut mieux les inciter à faire leur choix rapidement.

— Au contraire ! Il faut qu'elles aient envie de s'attarder. Elles pourront laisser leur manteau à l'entrée, s'asseoir pour boire un verre et prendre le temps de s'imprégner du décor. Car le Grenier ne proposera pas seulement de l'habillement, mais aussi des meubles et des éléments de décoration. Pour fidéliser les clientes, il faut créer un lieu convivial où elles pourront se sentir chez elles et trouver une grande diversité d'articles.

Plus elle développait son idée, plus Pepper s'enflammait.

— J'ai également l'intention d'organiser des soirées avec défilés de mode, cocktails, expositions, concerts...

— Fantastique ! s'exclama Izzy. Concilier shopping et fête, je suis pour !

— Quel genre de vêtements voudrais-tu dans ta gamme ? demanda Jemima.

— Plusieurs stylistes sont prêts à travailler avec moi. Je leur ai demandé de concevoir des tenues à la fois élégantes et pratiques.

Devant la moue sceptique de Jemima, Pepper ajouta :

— Je sais que c'est un problème qui ne te concerne pas, mais sache qu'il est très difficile de trouver en prêt-à-porter des tenues qui ne soient pas conçues pour des femmes filiformes et prêtes à endurer le pire inconfort pour paraître sexy. Mes vêtements seront destinés à toutes celles qui ne rentrent pas dans cette catégorie.

— Ah, je vois, commenta Jemima d'un air dédaigneux. Tu veux cibler les grandes tailles.

— Entre autres, oui ! rétorqua Pepper en relevant le menton d'un air de défi. Le Grenier sera une boutique à la fois chic et décontractée, dans laquelle aucune cliente ne se sentira mal à l'aise, quelle que soit sa taille. Je sais de quoi je parle. Et de toute façon, j'ai effectué une étude de marché très sérieuse. Le Grenier est la boutique dont rêvent les femmes. Tu verras.

— Excusez-moi, monsieur le principal.

Steven Konig était perdu dans ses pensées. Debout devant la fenêtre de son bureau, il contemplait la cour du collège.

Alors que l'architecture médiévale des bâtiments provoquait l'admiration de tous les visiteurs, il ne voyait pour sa part qu'une maçonnerie dégradée, des gouttières bouchées et un toit à refaire d'urgence. Or le coût estimé des réparations lui donnait le vertige. Le budget du collège Queen Margaret's n'était pas à la hauteur de son prestige…

Valerie Holmes, qui était déjà la secrétaire du principal à l'époque où Steven était encore étudiant, émit une petite toux.

— Monsieur Konig ?

Steven tressaillit et se tourna vers elle.

— La voiture est déjà arrivée ?

Il devait se rendre à Londres pour participer à un débat télévisé, et après d'âpres négociations menées par Valerie, la chaîne câblée Indigo Television avait accepté de lui envoyer une voiture.

— Non, monsieur le principal. Elle ne sera pas là avant une heure.

— Alors qu'y a-t-il, Val ? Vous pensez que j'ai besoin d'un briefing ? plaisanta-t-il avec un sourire malicieux.

— Bien sûr que non.

— Ne vous inquiétez pas. J'ai lu attentivement vos notes. Elles me seront très précieuses, comme d'habitude.

— Merci. Les indications fournies par Indigo Television étaient un peu minces, mais…

— Vous pensez comme moi que cette émission sera sans intérêt, n'est-ce pas ? Que voulez-vous, le producteur est un ancien élève du collège et je ne pouvais pas lui refuser cette faveur.

Steven prit une feuille sur son bureau.

— « Création d'entreprise et recherche de capitaux, lut-il en prenant un ton grandiloquent. Débat entre

Steven Konig, principal du collège Queen Margaret's et président de K-plant, et Penelope Anne Calhoun, consultante... »

— Monsieur le principal...

— « ... ex-membre du conseil d'administration de Calhoun Carter, leader du secteur de la grande distribution aux Etats-Unis. »

Il eut un sourire narquois.

— Quelles compétences peut-elle avoir en matière de recherche de capitaux, cette jeune femme qui est née avec une cuillère en argent dans la bouche ? Son seul fait d'armes, c'est d'avoir siégé au conseil d'administration de l'entreprise familiale, parmi des actionnaires aussi riches et privilégiés qu'elle !

— Monsieur le principal, il y a dans le pavillon du gardien une femme qui insiste pour vous voir. Elle... prétend que vous êtes le père de sa fille, précisa Valerie d'un air gêné.

Interdit, Steven leva vivement la tête.

— Comment s'appelle-t-elle ? finit-il par demander après un long silence.

— Courtney. Elle n'a pas donné son nom de famille.

— Ah.

— Le gardien lui a expliqué que vous étiez sur le point de partir pour Londres et qu'elle devait prendre rendez-vous pour un autre jour, mais il paraît qu'elle refuse catégoriquement de s'en aller.

— Ça ne m'étonne pas.

Le tressaillement de Valerie n'échappa pas à Steven. La pauvre femme devait imaginer les pires horreurs à son sujet, songea-t-il, amusé malgré lui.

— A quelle heure doit arriver la voiture ? s'enquit-il.

— 11 heures.

— Très bien.

Steven tendit une disquette à Valerie.

— J'ai quelques notes personnelles qui peuvent m'être utiles pour ce fichu débat. Pouvez-vous les imprimer, s'il vous plaît ? Je vais au pavillon chercher Mme Underwood.

— Oh...

— Eh oui. Courtney Underwood. Veuve de Tom Underwood. Vous vous souvenez sûrement de lui. Un étudiant en chimie avec lequel j'étais très lié. C'était un passionné d'escalade et il s'est tué dans les Andes il y a quatre ans.

— En effet, je... me souviens, bredouilla Valerie, rouge de confusion.

— Je ne suis pas le père de l'enfant mais son parrain. Et je n'ai pas vu sa mère depuis des années, mais la connaissant, je ne suis pas étonné qu'elle ait inventé un mensonge pareil pour obtenir un entretien. Soulagée ? s'enquit Steven d'un ton goguenard.

— Votre vie privée ne me regarde pas, monsieur le principal.

— Allons, reconnaissez que l'espace d'un instant vous m'avez pris pour un père indigne, dit-il avec un sourire espiègle. Mais trêve de plaisanteries, je vais me débarrasser de Mme Underwood avant d'aller faire le zouave devant les caméras.

Il poussa un soupir.

— Si seulement ma prestation télévisée pouvait avoir des retombées bénéfiques pour Queen Margaret's...

*
* *

Courtney était toujours aussi splendide, constata Steven en pénétrant dans le pavillon du gardien. Elle n'avait pratiquement pas changé depuis ce fameux jour où elle lui avait annoncé qu'elle le quittait pour Tom...

— Steven ! Mon chéri ! s'exclama-t-elle en se jetant dans ses bras.

Des étudiants qui étaient en train de regarder s'ils avaient du courrier sur le mur des casiers tournèrent la tête et jetèrent des coups d'œil surpris à leur principal.

Oh non, décidément, elle n'avait pas changé ! songea Steven, désabusé. Toujours aussi comédienne...

— Bonjour, Courtney, dit-il sans manifester la moindre émotion.

— N'ai-je pas droit à un accueil plus chaleureux après tout ce temps ? demanda-t-elle en glissant les mains sous la veste de son costume avec une moue enjôleuse.

Quel cinéma ! se dit-il en s'efforçant d'ignorer le contact de ses doigts à travers le fin coton de sa chemise. Ce regard mouillé qui vous donnait l'impression qu'elle était au bord des larmes, il le connaissait par cœur. Tout comme cette bouche sensuelle légèrement entrouverte, véritable invitation au baiser... Autrefois, ces minauderies le faisaient fondre. Courtney ne l'avait pas oublié, bien sûr. Cependant, quinze ans s'étaient écoulés et elle allait devoir se rendre à l'évidence. Son charme n'avait plus aucun effet sur lui.

Aucun, se répéta-t-il fermement en s'écartant d'elle.

— Tu ferais mieux de venir dans mon bureau.

— Hmm... avec plaisir, murmura-t-elle d'une voix rauque.

Ignorant ses œillades incendiaires, il lui fit signe de le suivre dans la cour.

— J'ai tellement de souvenirs merveilleux dans cet endroit magique ! susurra-t-elle en promenant autour d'elle un regard extasié.

— Vraiment ? Tu me surprends beaucoup.

— Pourquoi ?

— Autant que je me souvienne, tu n'es venue ici qu'une seule fois, répliqua-t-il en s'efforçant de surmonter son irritation. Pour m'annoncer que tu me préférais Tom.

— Steven ! s'écria-t-elle en feignant la stupéfaction. Ne me dis pas que tu m'en veux encore après toutes ces années !

— Je remets juste les pendules à l'heure, répliqua-t-il d'un ton neutre.

Elle laissa échapper un gloussement qui le hérissa. Dire qu'autrefois il trouvait ce petit rire charmant...

En s'exhortant au calme, il se dirigea vers la tour qui abritait à la fois le bureau et l'appartement du principal, auxquels on accédait par un escalier en colimaçon. Il passa la tête par la porte du bureau de sa secrétaire.

— Je reçois Mme Underwood quelques instants, Valerie. Pouvez-vous nous apporter du café, s'il vous plaît ? Et n'oubliez pas de me prévenir dès que la voiture sera arrivée.

Il désigna un siège à Courtney et alla se poster près de la fenêtre.

— Que viens-tu faire à Oxford ? demanda-t-il froidement.

— Pourquoi es-tu aussi distant avec moi, Steven ? Tu n'es pas content de me voir ? demanda-t-elle en battant des cils.

Où était passée sa belle déesse ? se demanda-t-il soudain avec un pincement au cœur. Sa fraîcheur et son naturel étaient tellement plus émouvants que les mines affectées de cette séductrice !

Courtney poussa justement un soupir théâtral.

— Steven ? M'en veux-tu encore vraiment après tout ce temps ?

Il regarda sa montre.

— Quel que soit le but de ta visite, je te suggère de l'exposer sans plus tarder, déclara-t-il d'un ton faussement courtois. Une voiture doit venir me chercher d'un instant à l'autre pour me conduire à Londres.

Le couvant des yeux, sa visiteuse s'humecta les lèvres. A son grand dam, Steven sentit son corps réagir malgré lui. Exaspéré, il s'efforça de rester impassible.

Mais de toute évidence, la lueur qui avait dû s'allumer dans son regard n'avait malheureusement pas échappé à Courtney...

— Renvoie la voiture, dit-elle d'une voix rauque.

— Allons, Courtney, cesse ton cirque, s'il te plaît. Que veux-tu ? De l'argent ?

Manifestement surprise par sa sécheresse, elle leva les sourcils.

— J'ai du mal à te reconnaître, Steven. Tu es devenu si... matérialiste.

— Que veux-tu, il est tellement dur de survivre dans ce monde cruel, persifla-t-il. Tu le sais bien, toi qui as un enfant à élever.

Après la mort de Tom, Courtney était venue le trouver en se plaignant de ne pas avoir les moyens de subvenir aux besoins d'Amaryllis. Il avait donc largement contribué à financer l'éducation de sa filleule, jusqu'au jour où, quatre ans auparavant, Courtney avait quitté l'Angleterre avec son amant du moment et sa fille.

Elle prit une mine soucieuse.

— Justement... C'est au sujet d'Amaryllis que je voulais te voir.

Pauvre fillette, comment avaient-ils pu l'affubler d'un prénom pareil ? songea-t-il, consterné.

— Quel est le problème ? demanda-t-il.

— Il faut que tu t'occupes d'elle.

— Pardon ?

— Je suis obligée de partir pour une cure de longue durée et je ne peux pas l'emmener avec moi.

— Une cure ? De quoi souffres-tu ?

Un léger embarras se peignit furtivement sur les traits de Courtney.

— Il s'agit d'une cure... spirituelle.

Steve en resta un moment sans voix.

— Mon psy dit que j'ai besoin de me régénérer, ajouta-t-elle en relevant le menton d'un air de défi.

— Vraiment ?

Steven crispa les poings. Non, décidément, Courtney n'avait pas changé. Son égoïsme était toujours aussi démesuré. En fait, il était étonnant qu'elle n'ait pas cherché plus tôt à se débarrasser d'Amaryllis...

Le téléphone sonna.

— Désolée de vous déranger, monsieur le directeur, dit Valerie. J'ai le gardien en ligne. Il demande s'il peut emmener la petite fille à l'office pour lui donner un pain aux raisins.

Steven se figea.

— Quelle petite fille ?

Courtney promenait son regard autour d'elle, comme si cette conversation ne la concernait pas.

— Apparemment elle est avec Mme Underwood, répondit Valerie.

— Je m'en occupe.

Steven raccrocha et darda sur Courtney un regard indigné.

— Tu as amené Amaryllis avec toi ?

— Bien sûr ! répondit-elle d'un air surpris. Je n'ai personne pour la garder !

— Puis-je savoir où tu l'avais laissée ?

— Dans la rue. Je lui avais demandé de m'attendre.

— Pourquoi ne l'as-tu pas amenée jusqu'ici avec toi ?

Mais la réponse était évidente, comprit Steven, écœuré. Courtney n'avait pas voulu être gênée par sa fille de neuf ans au cas où il lui faudrait aller jusqu'à le séduire pour obtenir ce qu'elle voulait de lui.

S'exhortant au calme, il se dirigea vers la porte et l'ouvrit.

— Lève-toi. Nous allons la chercher.

Courtney eut une moue boudeuse.

— Vas-y tout seul. Il pleut et...

— Ne discute pas et viens avec moi, coupa-t-il d'une voix glaciale.

Dans le pavillon du gardien, au milieu des étudiants qui consultaient leur casier en discutant joyeusement, une petite fille lisait les annonces sur le tableau d'affichage.

Contrairement à la tenue très chic de sa mère, ses vêtements étaient défraîchis, constata Steven avec effarement. De plus, ils n'étaient pas adaptés à la saison.

Dans sa veste trempée par la pluie, Amaryllis frissonnait en serrant contre elle un petit sac à dos.

— Tu te souviens de ton parrain ? s'enquit Courtney d'une voix suave.

La petite fille hocha la tête.

— Bonjour.

— Bonjour, répondit Steven.

— C'est lui qui va s'occuper de toi, expliqua Courtney.

L'ignorant, Steven s'accroupit devant sa filleule.

— Tu te souviens vraiment de moi ?

Elle l'observa posément pendant un instant avant de demander :

— Tu es un ex-petit ami de maman ?

Cela en disait long sur l'existence que Courtney faisait mener à sa fille ! songea Steven, outré.

— Es-tu d'accord pour rester avec moi pendant quelque temps ? demanda-t-il avec douceur.

— Maman dit qu'il le faut, répliqua-t-elle, visiblement surprise.

De toute évidence, elle n'avait pas l'habitude qu'on lui demande son avis...

Steven se tourna vers Courtney.

— J'ai besoin de ses papiers, dit-il en s'efforçant de contenir sa colère. Certificat de naissance, carnet de vaccination, dossier scolaire.

— Tout est dans son sac.

— Et ses affaires ?

D'un geste de la main, Courtney indiqua une valise posée au pied du panneau d'affichage. Celle-ci était bien trop petite pour contenir tous les vêtements et tous les jouets d'une enfant de neuf ans, constata Steven, de plus en plus écœuré.

— Parfait. Tu veux que je m'occupe d'elle ? C'est d'accord.

Il se tourna vers le gardien.

— Jackson, j'ai besoin d'une feuille de papier.

Autour d'eux, le bruit des conversations s'était atténué et les étudiants les observaient à la dérobée.

S'asseyant au bureau du gardien, Steven écrivit quelques lignes sur la feuille, puis demanda à son subordonné d'en faire une copie. Ensuite, il fit signe à deux garçons.

— J'ai besoin de vous comme témoins.

Il prit les deux feuilles que le gardien lui tendait et demanda à Courtney de prendre sa place au bureau.

— Voilà. J'ai noté que tu me confiais la garde de ta fille sans conditions. Inscris ton adresse ici... Et signe.

— Je n'ai pas d'adresse, objecta-t-elle d'un air maussade.

— Alors précise-le. Sur les deux feuilles, ajouta-t-il d'un ton cinglant qui la fit tressaillir.

Courtney s'exécuta sans un mot. De toute évidence, elle était enfin déstabilisée, se dit-il avec satisfaction en signant à son tour.

— Les témoins, à présent, dit-il en se tournant vers les deux étudiants. Nom, adresse, date et signature.

— Monsieur le principal, la voiture d'Indigo Television est arrivée, annonça Jackson au même instant.

— Trouvez-lui une place de parking et dites au chauffeur que j'arrive dans dix minutes.

Steven donna une des copies à Courtney et mit la seconde dans sa poche après l'avoir pliée soigneusement.

— Gardez la valise pour l'instant, s'il vous plaît, Jackson. Je reviendrai la chercher plus tard. Tu veux bien venir avec moi dans un studio de télévision ? ajouta Steven en tendant la main à l'enfant.

Elle hocha vigoureusement la tête.

— Alors dis au revoir à ta maman et suis-moi.

Courtney le saisit par le bras.

— Tu t'en vas ? Nous avons encore tellement de choses à nous dire..., susurra-t-elle.

Il la toisa avec mépris.

— Mon avocat prendra contact avec toi.

Amaryllis embrassa sa mère, puis elle glissa sa petite main dans celle de Steven. Il ne s'était pas trompé en pensant qu'elle n'était pas assez couverte, constata-t-il, le cœur serré. Ses doigts étaient glacés.

— Avant de partir, nous allons passer à mon bureau, expliqua-t-il d'une voix douce. J'ai des affaires à prendre. Jackson, vous voulez bien raccompagner Mme Underwood jusqu'à la sortie, s'il vous plaît ?

— Bien sûr, monsieur le principal.

Sans un regard pour Courtney, Steven entraîna l'enfant dans la cour.

— Savez-vous ce que je déteste le plus chez les Anglais ? demanda Pepper d'un air sombre tout en s'observant dans le miroir.

Terry Woods, qui était née à Brighton, réprima un sourire. Cela faisait deux mois qu'elle coiffait Pepper Calhoun et elle avait pris l'habitude des mouvements d'humeur épisodiques de sa cliente. En général, ils indiquaient que celle-ci se préparait à accomplir une corvée.

— Non, Pepper, répliqua-t-elle d'un ton enjoué. Mais je suis sûre que vous allez me le dire.

— Leur roublardise.

Terry fut si surprise qu'elle faillit laisser tomber sa brosse.

— Excusez-moi ! Je ne vous ai pas fait mal, j'espère ? Prenez un chocolat, ça vous détendra.

Pepper la foudroya du regard dans le miroir.

— C'est bien ce que je disais !

— Pardon ?

— Vous manquez de m'éborgner avec votre brosse et pour m'empêcher de crier, vous m'offrez un chocolat. Quoi de plus roublard ?

Terry éclata de rire.

— Vous exagérez !

Elle rapprocha de Pepper la coupe de bouchées pralinées.

— Servez-vous.

Pepper hésita.

— Je ne devrais pas.

Tout en démêlant avec soin la masse de ses cheveux cuivrés, Terry demanda avec un sourire malicieux :

— Qui d'autre a osé se montrer roublard avec vous ?

— Indigo Television.

— Jamais entendu parler.

— Ça ne me surprend pas ! C'est une nouvelle chaîne câblée pour laquelle travaille un journaliste que j'ai croisé une fois à mon arrivée ici. Eh bien, non seulement il a réussi à retrouver ma trace, mais il m'a persuadée de participer à son émission. Vous ne pouvez pas savoir à quel point ça me barbe ! D'un autre côté, un peu de publicité peut être utile à mon projet.

— Quel genre d'émission est-ce ?

— Bonne question, répondit Pepper d'un air désabusé.

Elle avança la main vers les chocolats. Puis, se ravisant, elle la ramena vivement sur ses genoux.

— C'est un face-à-face consacré à la création d'entreprise, expliqua-t-elle. Devant un public d'étudiants en gestion. Bien sûr, aucune question n'est communiquée à l'avance et l'émission passe en direct. Seigneur ! Qu'est-ce qui m'a pris d'accepter ?

L'estomac de Pepper se noua. Elle tendit la main. La tentation était trop forte. Et de toute façon, elle avait besoin de se donner du courage.

Steven termina de relire ses notes et les rangea dans son porte-documents. Assise à côté de lui sur la banquette, Amaryllis regardait le paysage par la vitre.

Soudain pris de remords, il dit d'un ton bourru :

— Tu sais, tu risques de t'ennuyer un peu au studio de télévision.

Elle tourna vers lui un visage sérieux.

— Ne t'inquiète pas, je serai sage. Je ne suis pas une enfant difficile. C'est maman qui le dit.

Il n'y avait aucune fierté dans la voix de la petite fille. Seulement de la résignation. Steven sentit sa rage se réveiller. Courtney était décidément d'un cynisme à toute épreuve...

— Dès que l'émission sera terminée, nous irons faire des courses. Tu pourras choisir tous les vêtements que tu veux, promit-il.

Au même instant, la voiture pénétra dans la cour d'un immeuble miteux. Certes, Indigo Televison était une petite chaîne toute récente aux moyens encore limités, mais il ne s'attendait pas à un décor aussi misérable, songea Steven avec surprise.

Il se pencha vers le chauffeur.

— Vous êtes certain que c'est bien ici ?

— C'est la question que tout le monde pose, répliqua l'homme d'un ton lugubre en se garant devant un petit hangar de tôle ondulée contre lequel étaient entassés des sacs-poubelle et un amas de ferraille.

Au moment où Steven descendait de voiture, une femme pénétra dans la cour. Enveloppée dans un immense imperméable à capuche, elle se dirigea vers la voiture en tentant d'éviter les flaques d'eau.

— Je suis à Indigo Television ? demanda-t-elle d'un ton incrédule.

Steven eut un sourire de dérision.

— Je le crains.

— Madame, monsieur, par ici, dit le chauffeur en ouvrant une petite porte qui donnait sur un étroit couloir.

Après avoir baissé sa capuche, sous laquelle elle portait un foulard, la femme promena autour d'elle un regard atterré.

— Hé ! Télé Dépotoir ! Il y a quelqu'un ? cria-t-elle.

Amaryllis pouffa.

N'obtenant pas de réponse, l'inconnue poussa un soupir impatient, puis elle enleva une de ses chaussures et se mit à cogner sur un radiateur.

Amaryllis s'empressa de l'imiter, tandis que Steven, agressé par le bruit assourdissant, se bouchait les oreilles.

— Arrêtez ! intima-t-il.

Amaryllis se rechaussa aussitôt, mais la femme continua de plus belle. Décidément, c'était sa journée ! songea Steven, au comble de l'exaspération. Si cette furie était l'autre intervenante du débat, ça promettait…

— Je vais voir s'il y a quelqu'un, annonça-t-il en s'avançant à grand pas dans le couloir.

Derrière la troisième porte qu'il ouvrit, il trouva ce qu'il cherchait.

— Vous avez de la visite, annonça-t-il à deux jeunes femmes en train de papoter. Et des troubles de l'audition, apparemment…

Dès qu'elle les vit, la furie daigna enfin cesser son vacarme.

— Indiquez-lui un endroit où déposer son manteau, proposez-lui un siège et apportez-lui un café, conseilla Steven aux deux jeunes femmes.

Aussitôt, l'une d'elles partit en courant vers le fond du couloir, tandis que l'autre invitait le petit groupe à la suivre en bredouillant des excuses. Amaryllis s'élança derrière elle en sautillant joyeusement, mais l'inconnue ne bougea pas.

Steven eut du mal à réprimer un sourire narquois. Avec sa chaussure à la main et son foulard qui lui masquait une partie du visage et lui faisait une tête énorme — dissimulerait-il des bigoudis ? — elle était ridicule…

— Est-ce que les gens vous obéissent toujours au doigt et à l'œil ? demanda-t-elle d'un air pincé.

— Bien sûr, acquiesça-t-il avec le plus grand sérieux. Quoi de plus normal, puisque j'ai toujours raison ?

3.

« Toujours raison ? »

Pepper n'en crut pas ses oreilles. Pour qui se prenait-il ? se demanda-t-elle en se rechaussant. Si ce macho était l'autre intervenant du débat, ça promettait...

— Excusez-moi, je ne me suis pas présenté, déclara-t-il en s'inclinant. Steven Konig, invité à l'émission *Profitez de leur expérience*.

Ses craintes étaient confirmées ! songea Pepper en réprimant un soupir.

Avant qu'elle ait le temps de se présenter à son tour, une des deux jeunes femmes revint vers eux.

— Si vous voulez bien me suivre dans le salon. Martin Tammery, dont je suis l'assistante, va vous y rejoindre d'une minute à l'autre.

Après les avoir conduits dans une pièce sans fenêtres, uniquement meublée d'une table en formica et de quelques chaises, elle leur proposa de les débarrasser de leurs manteaux.

Se déshabillant prestement, Steven lui tendit le sien avec un sourire absent, puis il sortit son téléphone portable de sa poche et s'isola dans un coin de la pièce pour discuter à voix basse.

Quel manque d'éducation ! songea Pepper avec mépris en posant sa serviette de cuir sur une chaise avant d'ôter l'imperméable que Terry avait tenu à lui prêter.

— Pourquoi portes-tu deux manteaux ? demanda une petite voix à côté d'elle.

La fille de M. J'ai-toujours-raison la regardait d'un air intrigué.

— Parce que mon manteau n'a pas de capuche.

— Pourquoi as-tu besoin d'une capuche, puisque tu as un foulard ?

— Parce que le foulard n'est pas imperméable et que je sors de chez le coiffeur.

Dénouant son carré de soie, Pepper libéra sa crinière flamboyante.

Toujours au téléphone, M. J'ai-toujours-raison émit un bruit bizarre, comme s'il s'étranglait. La personne avec qui il discutait venait-elle de le remettre en place ? se demanda Pepper en réprimant un sourire sarcastique.

— Vous avez des cheveux magnifiques ! s'exclama l'assistante.

— Merci, répliqua Pepper en les tâtant délicatement du bout des doigts.

Apparemment, le foulard et la capuche n'avaient pas gâché le travail de Terry. Ses boucles semblaient toujours aussi souples. Toutefois, il restait à s'assurer que le dessus n'avait pas été trop aplati.

— Qui vous fait votre couleur ? demanda la jeune femme.

Pepper ouvrit de grands yeux.

— Pardon ?

— J'ai toujours eu envie d'être rousse, mais chaque fois que j'ai essayé, le résultat a été catastrophique. Qui vous teint les cheveux ?

— Personne.

— C'est naturel ? Quelle chance vous avez !

Flattée, Pepper ne put s'empêcher de sourire.

— Vous... J'espère que vous ne vous attendez pas à être maquillée ? demanda la jeune femme avec un embarras manifeste. Indigo est une chaîne toute récente et le personnel est encore réduit. Mais si vous avez envie de... vous rafraîchir, il y a un grand miroir dans les toilettes. Sur le plateau les lumières sont redoutables, vous savez...

L'assistante était écarlate. Elle essayait de lui faire passer un message, comprit Pepper. Mais lequel ?

Ce fut la petite fille qui lui donna la réponse.

— Vous avez le nez qui brille.

Pepper déglutit péniblement. Comment n'y avait-elle pas songé plus tôt ? Après la séance chez le coiffeur et son équipée sous la pluie pour arriver jusqu'au studio, ce n'était pas très étonnant. D'autant plus que comme à l'accoutumée elle s'était à peine maquillée...

— Je vais vous accompagner jusqu'aux toilettes, proposa l'assistante.

— Moi aussi, dit la petite fille.

M. J'ai-toujours-raison interrompit sa conversation téléphonique. Décidément, celle-ci semblait l'avoir déstabilisé, se dit Pepper avec satisfaction. Il faisait une de ces têtes !

— Où allez-vous ? demanda-t-il d'un ton vif.

A la grande joie de Pepper, la petite fille lui jeta un regard condescendant.

— J'ai envie.

Il fronça les sourcils.

— Envie ?

Puis il comprit subitement.

— Oh, bien sûr. Ça ne te dérange pas d'y aller avec Mlle euh... ?

Inutile de demander à Mlle euh... si de son côté ça ne la dérangeait pas de s'occuper de sa fille ! songea Pepper avec irritation.

Sans un mot, elle quitta la pièce, accompagnée de l'enfant qui trottinait à son côté.

Au bout du couloir, l'assistante ouvrit la porte des toilettes et actionna un interrupteur. Une série d'ampoules s'alluma autour d'un miroir ovale. En voyant son reflet, Pepper esquissa une grimace. Non seulement son nez brillait, mais elle avait le teint blafard... Certes, ses cheveux étaient splendides, cependant leur éclat accentuait la pâleur de son visage.

— A tout de suite dans le salon, dit l'hôtesse avant de sortir. Ne tardez pas trop, il ne reste que dix minutes avant le début de l'émission. Et comme c'est en direct, nous ne pouvons pas nous permettre le moindre retard.

Au grand soulagement de Pepper, la petite fille se dirigea vers l'un des W.-C. sans lui demander son aide. Elle n'avait pas l'habitude des enfants et de toute façon, elle n'avait pas le temps de s'occuper d'elle. Heureusement que quelques jours auparavant, Jemima avait décidé de lui inculquer quelques notions de base en matière de maquillage...

Prenant une profonde inspiration, Pepper sortit de sa serviette une trousse contenant un arsenal complet de fards, de crayons et de pinceaux. Avec un peu de chance et de concentration, elle allait peut-être réussir à se rappeler comment s'en servir...

Quelques secondes plus tard, après s'être lavé les mains, la petite fille se hissa sur un tabouret à côté d'elle.

— Maman dit qu'il ne faut pas mettre trop de couleur dans la journée, dit-elle en écartant un fard à paupières vert Nil.

— Vraiment ?

Par esprit de contradiction, Pepper prit le fard, en appliqua sur une de ses paupières et s'examina dans le miroir.

La petite fille resta silencieuse.

En soupirant, Pepper s'essuya avec une lingette démaquillante.

— D'accord, tu as raison. On dirait que je viens de disputer un match de boxe. Je vais me contenter d'un peu de poudre et d'une légère touche de blush.

Peut-être encore un peu trop pâle ? se demanda-t-elle quelques instants plus tard. Tant pis. Après tout, elle n'avait pas été invitée à cette émission pour son physique de rêve, songea-t-elle avec dérision. Et en tout cas, son nez ne brillait plus.

Elle passa un peigne dans ses cheveux en tentant de leur redonner un aspect gonflant. Rapidement, elle renonça.

— Tu ne mets pas du gel ? demanda la petite fille. Maman dit…

— Non, coupa Pepper avec agacement. Je n'ai pas le temps.

Quand elles sortirent, la petite fille lui prit la main. Malgré elle, Pepper se radoucit. Après tout, ce n'était pas de la faute de l'enfant si elle était sur les nerfs… Et puis si celle-ci s'était fait une fête de visiter un studio de télévision, elle devait être très déçue par cet endroit qui manquait pour le moins de glamour...

— C'est toi qui as eu envie d'accompagner ton papa ? demanda-t-elle avec un sourire bienveillant.

La petite fille secoua la tête.

— C'est oncle Steven qui m'a proposé de venir. Après, nous allons faire du shopping.

— Oncle Steven ? M. J'ai-tou... M. Konig n'est pas ton papa ?

— Non.

— Comment t'appelles-tu ?

— Janice.

Pourquoi la fillette avait-elle eu une légère hésitation avant de répondre ? se demanda Pepper, intriguée. Elle n'avait peut-être pas l'habitude des enfants, mais à force de fréquenter le monde des affaires, elle avait développé un instinct infaillible. Elle décelait toujours les mensonges de ses interlocuteurs. Janice n'était pas le vrai prénom de cette petite fille. Elle en aurait mis sa main à couper...

Dès qu'il fut seul dans le salon d'attente — un terme inapproprié étant donné l'inconfort de l'endroit—, Steven, qui avait raccroché depuis un moment, se laissa tomber sur une chaise en refermant son téléphone portable d'un coup sec.

La furie qui avait réussi à l'horripiler en moins de deux minutes n'était autre que sa déesse flamboyante ! Comment était-ce possible ? Dire que depuis des semaines il cultivait secrètement le souvenir précieux de leur rencontre... Quel choc il avait eu quand elle avait ôté son foulard ! Qu'étaient devenus son sourire charmant et son regard si émouvant ? Et pourquoi feignait-elle de ne pas le reconnaître ? Il n'était pourtant pas affublé d'une capuche, lui ! Il crispa la mâchoire. Décidément, il était un bien piètre juge pour discerner la véritable nature des femmes. S'il en doutait encore, il venait d'avoir l'occasion de le constater. Bon sang, comment sa déesse avait-elle pu se métamorphoser en harpie ?

A cet instant, Martin Tammery le tira de ses réflexions en faisant irruption dans le salon.

— Bonjour, Steven. Désolé de ne pas avoir été là pour t'accueillir, mais je suis débordé. Tu sais ce que c'est.

Tout en parlant, il griffonnait d'un air affairé sur un bloc-notes.

— Il paraît que la Tigresse a déjà fait des siennes, ajouta-t-il quand il eut terminé.

— La Tigresse ? répéta Steven d'un ton sarcastique. Ce surnom va comme un gant à la furie que j'ai croisée en arrivant et qui n'a même pas eu la politesse de se présenter.

Martin Tammery eut un sourire ravi.

— J'ai l'impression que le débat va être animé. Parfait. Mais où est-elle passée ? J'espère que tu ne l'as pas fait fuir ?

— Très drôle. Elle préférerait sans doute m'assommer à coups de talon aiguille plutôt que de battre en retraite.

— Mademoiselle Calhoun ! s'exclama Martin Tammery alors que Pepper entrait dans la pièce en compagnie d'Amaryllis. C'est un immense plaisir pour moi de vous accueillir à Indigo Television. Mais j'ai cru comprendre que mes deux invités n'avaient pas été présentés officiellement l'un à l'autre, ajouta-t-il avec malice. Permettez-moi de combler cette lacune. Mademoiselle Calhoun, je vous présente Steven Konig, qui avant de devenir une personnalité très en vue était mon directeur d'études à l'université. Steven, je te présente, Mlle Penelope Anne Calhoun.

Même si cet homme était un insupportable macho, mieux valait faire des efforts, décida Pepper. Puisqu'elle avait accepté de participer à ce débat, autant jouer le jeu.

— Bonjour, professeur, dit-elle d'une voix suave en tendant la main. Enchantée de vous rencontrer.

Il la lui serra sans un mot en la fixant d'un regard pénétrant qui la troubla.

Cet homme lui rappelait quelqu'un, se dit-elle, intriguée. Mais qui ?

— Il est temps de gagner le plateau, déclara Martin Tammery. Le public est assez hétérogène et ses centres d'intérêts vont de la haute finance à l'industrie musicale. Vous risquez d'être confrontés à des questions inattendues. Ça ira ?

— J'improviserai, rétorqua Steven Konig d'un air désinvolte.

Et elle ? fulmina silencieusement Pepper. Comment était-elle censée s'en sortir ? Avait-il l'intention de monopoliser la parole ? Sans doute. Il semblait la considérer comme quantité négligeable et se comportait comme si elle n'était qu'une simple figurante. Il n'avait même pas daigné répondre à son salut !

Serrant les dents, elle pénétra dans le studio en s'exhortant au calme. Il fallait absolument qu'elle se maîtrise et qu'elle soigne son image. Agresser Steven Konig en direct à la télévision ne pouvait que la desservir. Dommage, parce que c'était très tentant...

Arborant un sourire professionnel, elle prit place dans le fauteuil qui lui était réservé.

Une fois le discours d'introduction de l'animateur terminé, la première question, concernant le capital d'amorçage, fut posée par une jeune fille en jean délavé. Pepper y répondit par un exposé remarquable, ce qui eut pour effet d'attiser l'irritation de Steven. Il s'empressa d'ergoter sur un point de détail, mais elle réfuta ses objections avec brio et conclut sa démonstration avec une mine réjouie, qui signifiait clairement : « C'est moi qui remporte le premier round. »

La suite du débat se déroula sur le même ton à la grande satisfaction de Martin Tammery, qui trépignait d'enthousiasme dans la régie. Les deux intervenants étaient aussi brillants l'un que l'autre et leur antagonisme ne faisait que renforcer l'intérêt de leurs échanges. Sans jamais franchir les limites de la courtoisie, ni l'un ni l'autre ne lâchait prise. Jusqu'au moment où la discussion dérapa.

— Trouvez-vous légitime qu'un employeur exige d'une vendeuse qu'elle maigrisse ? demanda un étudiant.

— J'estime qu'il est normal d'attendre de ses employés qu'ils soignent leur tenue, surtout quand ils sont en contact avec la clientèle, répondit Pepper. Cependant, en l'occurrence, le problème est différent. Le résoudre ne dépend pas toujours de la volonté de la personne concernée. Ses causes sont multiples, et malheureusement, il n'est pas toujours possible de les combattre avec efficacité.

— Oh, je vous en prie, épargnez-nous ce genre de discours fataliste ! s'exclama Steven d'un ton méprisant. Si vous avez un problème, vous pouvez décider soit de vous y attaquer soit de l'ignorer. Et si vous partez du principe qu'il est insoluble, il n'est pas étonnant que vous aboutissiez à un échec. En tout cas, la moindre des choses est d'assumer vos responsabilités !

En fait, les pensées de Steven vagabondaient depuis un moment et il avait un peu perdu le fil de la discussion. L'image de la déesse flamboyante de l'avion le poursuivait et il ne parvenait pas à admettre le décalage entre les deux personnalités de Penelope Anne Calhoun. Saisissant au vol les paroles de celle-ci sans trop savoir à quoi elles se rapportaient, il s'était laissé emporter par son exaspération.

Steven fut alors stupéfait par la réaction de sa compagne. Jusqu'à présent, Pepper avait prouvé qu'elle avait du répondant. En cet instant, elle était muette, d'une pâleur mortelle. Après un silence qui sembla durer une éternité, l'animateur invita le public à poser la question suivante.

Se ressaisissant, Pepper retrouva son sens de la repartie, mais elle évita systématiquement le regard de Steven jusqu'à la fin du débat. Quand la musique du générique de fin retentit, elle se leva et quitta le plateau comme un automate.

Quelques secondes plus tard, Amaryllis qui avait suivi l'émission depuis la régie, rejoignit Steven et se planta devant lui. Pourquoi le fixait-elle d'un air aussi sévère ? se demanda-t-il avec perplexité.

— La dame est en train de pleurer, annonça-t-elle d'un ton réprobateur.

Etonné, il arqua les sourcils.

— Tu es sûre ?

Sans prendre la peine de répondre, Amaryllis darda sur lui un regard encore plus dédaigneux.

Il se leva et quitta le plateau. Que se passait-il ? C'était insensé ! Pourquoi cette furie pleurait-elle ? Qu'avait-il fait ? Il n'en avait pas la moindre idée, mais le regard accusateur d'Amaryllis semblait indiquer qu'il y était pour quelque chose.

Martin Tammery le rejoignit dans le salon en se frottant les mains, lui ôtant ses derniers doutes.

— Fantastique ! Elle t'a donné du fil à retordre, mais tu as fini par lui river son clou. En tout cas, avec un affrontement de cette qualité, l'indice d'écoute a sûrement crevé le plafond. J'ai hâte d'avoir les chi...

Il s'interrompit brusquement.

Pepper venait d'entrer dans la pièce, les yeux étincelants.

Martin se tourna vers son assistante et lui murmura à l'oreille :

— Essaie de la retenir, je reviens.

Puis il sortit précipitamment.

— Puis-je vous offrir un verre, mademoiselle Calhoun ? demanda la jeune femme.

— De l'eau, répondit Pepper les mâchoires serrées. Un grand verre.

Steven s'avança vers elle, plein de bonnes intentions.

— Rester pendant une heure sous l'œil des caméras est éprouvant, n'est-ce pas ?

Quel idiot ! Elle allait penser qu'il se payait sa tête, se dit-il aussitôt.

En effet, elle le foudroya du regard.

— Heureusement, c'est terminé, ajouta-t-il d'un ton qui se voulait enjoué.

— Non justement, ça ne fait que commencer, répliqua-t-elle d'un ton sec. Les droits de rediffusion vont sûrement atteindre des sommets. Vous savez aussi bien que moi que le public adore le scandale et que les autres chaînes vont s'arracher la cassette de cette émission.

Steven arqua les sourcils.

— Je ne comprends pas.

— Inutile de prendre cet air innocent, monsieur Konig. Vous avez été grossier et vous le savez parfaitement. Votre comportement est indigne d'un gentleman.

Sur ces mots, Pepper tourna les talons et quitta la pièce.

4.

Quand Martin Tammery revint, il fut très contrarié de constater que Pepper avait disparu.

— Pourquoi l'avez-vous laissée filer ? lança-t-il à son assistante.

— Elle n'y est pour rien, plaida Steven. C'est à cause de moi que Mlle Calhoun est partie. Je voudrais justement que tu me donnes son numéro de téléphone.

— Tu t'imagines qu'elle va accepter de te parler ? Tu rêves !

— Pourquoi refuserait-elle ?

— Parce que tu viens de lui faire remarquer en direct à la télévision qu'elle était la seule responsable de son problème de poids.

— De quoi parles-tu ? s'exclama Steven, abasourdi. Je ne lui ai jamais rien dit de tel !

Tammery prit un air désabusé.

— Oh, ne te fatigue pas ! J'ai l'habitude qu'on me fasse porter le chapeau. Quand il y a un litige entre deux invités, ils finissent toujours par accuser le producteur machiavélique d'avoir tout manigancé.

— Je ne lui ai jamais rien dit de tel, répéta Steven, profondément perturbé. Et de toute façon, elle n'a pas de problème de poids.

— On ne peut pas dire qu'elle soit mince ! argua Tammery. En fait, si l'émission n'avait pas été diffusée en direct, j'aurais déjà ses avocats au téléphone.

Steven n'en crut pas ses oreilles.

— Ses avocats ?

— Crois-moi, si elle en avait le pouvoir, elle exigerait qu'on coupe ce passage.

L'air soudain inquiet, le producteur se tourna vers son assistante.

— Elle a bien signé la cession des droits de rediffusion, j'espère ?

— Oui. Nous l'avons reçue par courrier cette semaine.

Tammery poussa un soupir de soulagement.

— Dieu merci ! Cette émission va nous rapporter une fortune.

— Que comptes-tu en faire ?

— Les autres chaînes vont vouloir l'acheter pour la diffuser, bien sûr ! Rien de tel qu'un débat un peu... animé pour faire grimper l'indice d'écoute.

— Elle avait raison, murmura Steven, incrédule.

Haussant la voix, il déclara d'un ton impérieux :

— Je veux visionner cette bande. Immédiatement.

— C'est impossible. J'ai des rendez-vous à l'extérieur et...

— Tu n'as pas l'air de comprendre, coupa Steven d'une voix glaciale. J'exige de voir cette émission dans son intégralité. Je veux me rendre compte de ce que j'ai dit exactement et de l'effet produit par mes paroles. Sinon ce ne sont pas les avocats de Mlle Calhoun que tu auras sur le dos mais les miens.

Résigné, Martin Tammery le conduisit à la régie. A la fin du visionnage, Steven était atterré.

— Comment ai-je pu me montrer aussi blessant sans même m'en rendre compte ? Je suis impardonnable.

— Tu exagères ! C'est un débat d'une qualité exceptionnelle, protesta Tammery avec la plus parfaite mauvaise foi. A présent, si tu veux bien m'excuser, j'ai des affaires urgentes à régler.

Steven lui bloqua le passage.

— Avant de te laisser vaquer à tes occupations, je te signale que je n'ai pas signé la cession des droits, déclara-t-il d'un ton dangereusement posé. Vends une seule minute de cet enregistrement et je te traîne en justice.

Pepper referma la porte de l'appartement derrière elle et s'y adossa en fermant les yeux. Elle tremblait de tout son corps. Quatre heures s'étaient écoulées depuis la fin de l'émission et elle était encore dans tous ses états !

— Pepper ?

La voix d'Izzy la fit tressaillir. En principe, aucune de ses deux cousines ne rentrait avant 19 heures.

— Que se passe-t-il ? Ta grand-mère a encore essayé de te mettre des bâtons dans les roues ? Tu as une mine défaite.

Pepper eut un sourire désabusé. Jusqu'à présent, seule Mary Ellen Calhoun avait le pouvoir de la mettre dans cet état. Si elle avait su qu'en traversant l'Atlantique elle tomberait sur un autre personnage aussi odieux, elle serait restée sur le continent américain !

— Non. Cette fois ce n'est pas elle mais un homme qui m'a traité de sac de pommes de terre, répondit-elle en s'efforçant de prendre un ton désinvolte. En direct à la télévision.

Izzy ouvrit de grands yeux.

— Quelle horreur ! Comment peut-on avoir l'idée de te traiter de sac de pommes de terre ?

— En fait, cette expression est celle que ma grand-mère a employée juste avant que je rompe toute relation avec elle. Aujourd'hui, M. J'ai-toujours-raison s'est contenté de me faire remarquer que j'avais un problème de poids et que j'en étais entièrement responsable.

— C'est insensé !

L'incrédulité flagrante de sa cousine réchauffa un peu le cœur de Pepper. Elle haussa les épaules avec un sourire crispé.

— Peut-être, mais c'est pourtant bien ce qui s'est passé.

— Viens, je vais te faire du thé.

Pepper se laissa entraîner dans la cuisine, une grande pièce lumineuse dans laquelle régnait toujours une pagaille invraisemblable. Elle s'installa au comptoir après en avoir enlevé une pile de courrier et deux pots de fleurs.

Elle ne parvenait pas à s'accoutumer au désordre dans lequel vivaient ses cousines. Leur complicité et leur insouciance la déroutaient également. Son enfance solitaire dans le manoir des Calhoun l'avait habituée à une vie très différente. Elle ne faisait pas partie du même monde qu'elles, songeait-elle souvent avec une pointe d'envie.

— Raconte-moi tout, demanda Izzy en s'affairant derrière le comptoir. Je suis sûre que tu as impressionné tout le monde par la qualité de tes interventions.

Malgré elle, Pepper laissa échapper un petit rire.

— Je crois que je ne m'en suis pas trop mal sortie, à vrai dire. Il est vrai que je possédais parfaitement le sujet. Par ailleurs, j'étais tellement exaspérée que la plupart du temps j'en oubliais d'avoir le trac.

Izzy déposa deux tasses de thé fumant sur le comptoir et s'assit en face d'elle.

— Tu étais exaspérée à cause de... comment l'as-tu appelé ? M. Je-sais-tout ? Qui est-ce ?

— Un macho de la pire espèce.

— Que t'a-t-il dit exactement ?

Pepper crispa la mâchoire.

— Que si j'avais un problème de poids, c'était entièrement ma faute.

— J'espère que tu l'as mouché !

— Bien sûr ! Je lui ai dit que son comportement était indigne d'un gentleman.

Izzy arqua les sourcils.

— Quelle offense ! ironisa-t-elle.

— Il est tellement imbu de lui-même que je suis sûre qu'il l'a très mal pris.

— Quel âge a-t-il ?

— Je ne sais pas. La trentaine, je suppose. Pourquoi ?

— A t'entendre on pourrait croire qu'il en a au moins soixante-dix ! s'exclama Izzy en riant. Je te signale que les hommes de notre génération — même les Anglais — se moquent de ne pas passer pour des gentlemen.

— Je suis certaine qu'il a été très vexé, insista Pepper d'un air buté.

Izzy secoua la tête.

— Tu es incroyable ! Parfois, tu me donnes l'impression de vivre dans une autre époque.

Pepper fut piquée au vif.

— Pas du tout ! Mais il se trouve que j'ai des principes.

— Des principes un peu dépassés, si tu veux mon avis. Tu sais, Jay Jay et moi sommes étonnées que tu ne sois sortie avec aucun des hommes que tu as rencontrés ici. Aurais-tu laissé quelqu'un à New York ?

Pepper ne répondit pas.

— Laisse-moi deviner, reprit Izzy avec douceur. Ce n'était pas non plus un gentleman, je me trompe ?

Pepper déglutit péniblement.

— De toute façon, comment veux-tu qu'un sac de pommes de terre ait une chance de séduire un homme, qu'il soit gentleman ou pas ?

— Cesse de dire des sottises ! protesta Izzy avec véhémence. Tu n'as rien d'un sac de pommes de terre, bon sang ! Tu es une femme belle et intelligente, qui a tous les atouts pour réussir dans la vie.

— Et qui aurait bien besoin de perdre quelques kilos, compléta sombrement Pepper.

— Si je tenais ce type ! Il n'avait pas le droit de te dire de telles inepties !

— Peut-être, mais il faut bien reconnaître qu'il n'avait pas tout à fait tort. Allez, sois franche avec moi, Izzy. Reconnais qu'il ne serait pas superflu que j'entreprenne un régime.

Izzy descendit de son tabouret et se mit à arpenter nerveusement la cuisine.

— Ce n'est pas à moi qu'il faut poser ce genre de question, répondit-elle d'un ton amer qui surprit Pepper.

— Pourquoi dis-tu cela ? Qu'y a-t-il ?

Sans répondre, Izzy s'immobilisa devant la fenêtre. Devait-elle insister ? se demanda Pepper avec perplexité. Ce genre d'attitude ne ressemblait pas du tout à sa cousine.

— Tu n'as pas remarqué ? lança tout à coup cette dernière d'une voix anxieuse que Pepper ne lui connaissait pas. Jemima ne dîne jamais avec nous. Et au petit déjeuner, elle se contente d'une tasse de café.

— C'est vrai, mais...

— Mais comme tous les mannequins, elle doit surveiller son poids de très près. Je connais le refrain ! Seulement Jay Jay exagère. Elle mange à peine. Et quand elle y consent, je ne suis pas certaine qu'elle... garde longtemps ce qu'elle a mangé.

Effarée, Pepper resta muette.

Izzy fit un effort manifeste pour se ressaisir.

— Mais je m'inquiète peut-être pour rien ! lança-t-elle avec une désinvolture qui sonnait faux. Je dois souffrir du syndrome de l'aînée. J'ai tendance à me faire trop de souci pour ma petite sœur. Oublie ce que je viens de te dire.

— Si... si je peux faire quelque chose..., bredouilla Pepper, bouleversée.

Izzy laissa échapper un petit rire contraint.

— Contente-toi de ne pas attendre de moi que je compatisse parce qu'un homme de Neandertal s'est permis une remarque stupide sur ton poids, d'accord ? Même s'il l'a fait pendant une émission retransmise en Eurovision.

Pepper sourit affectueusement à sa cousine, mais ses traits se crispèrent de nouveau très vite.

— A vrai dire, c'est surtout ma réaction qui m'inquiète, avoua-t-elle.

— Tu ne t'es pas contentée de lui refuser la qualité de gentleman ? s'enquit Izzy d'un ton plein d'espoir. L'aurais-tu giflé devant les caméras ?

Pepper eut un petit rire contraint.

— Non, c'est bien pire que ça. J'ai perdu contenance. Je suis restée sans voix, tu te rends compte ! Moi qui ai accepté de participer à ce débat dans le seul espoir de séduire des investisseurs potentiels ! A leur place, je ne risquerais pas le moindre penny dans le projet d'une femme qui se laisse déstabiliser aussi facilement... Oh, je hais cet odieux macho !

Izzy n'avait jamais été à la recherche de capital pour créer une entreprise. Ne trouvant rien de réconfortant à dire, elle préféra rester silencieuse.

Quant à Pepper, elle évita de mentionner sa crise de larmes. Heureusement qu'elle n'avait craqué qu'après avoir quitté le plateau...

Faire du shopping avec Amaryllis était une vraie partie de plaisir, constata Steven. Malheureusement, il ne parvenait pas à chasser de son esprit le souvenir de cette fichue émission ! Ni surtout, celui de sa déesse flamboyante, alias Mlle Calhoun...

Dire qu'il l'avait fait pleurer... Il avait bien mérité qu'elle lui fasse remarquer que son comportement était indigne d'un gentleman. Jamais elle ne voudrait croire qu'il ne s'était pas rendu compte de ce qu'il avait dit. Mais aussi, pourquoi l'avait-elle nargué pendant tout le débat ? Et surtout, pourquoi avait-elle feint de ne l'avoir jamais rencontré ? Serait-il possible qu'elle ne l'ait pas reconnu ? Bon sang ! Il ferait mieux d'oublier cette femme, sinon il allait devenir fou...

Il reporta son attention sur Amaryllis. Etait-il normal qu'elle soit aussi conciliante ? Les enfants n'étaient-ils pas censés être plus agités ? Ses amis se plaignaient souvent des caprices de leurs rejetons. Amaryllis, elle, arborait un sourire béat depuis qu'ils étaient entrés dans la première boutique. Elle ne refusait rien de ce qu'il lui proposait, et n'exigeait rien non plus.

— Si quelque chose ne te plaît pas, tu n'es pas obligée de le prendre, dit-il, inquiet de son silence.

Un blouson en jean sur le dos, elle était plantée devant un miroir.

— Ce blouson te plaît vraiment ? insista-t-il.

Elle hocha vigoureusement la tête.

— D'accord.

Ils achetèrent ensuite une paire de chaussures de tennis rose, puis des ballerines bleues.

— Et maintenant ? Jouets ? Livres ? Coiffeur ?

— Les enfants ne vont pas chez le coiffeur. C'est réservé aux adultes, déclara la petite fille d'un ton sentencieux.

Steven réprima un juron. Apparemment, c'était un principe qu'on lui avait inculqué depuis longtemps...

— Est-ce que tu aimes les cheveux de Pepper ? demanda Amaryllis.

— De qui ?

— Pepper. La dame rousse de la télévision. J'aimerais avoir les mêmes cheveux qu'elle. Tu ne les trouves pas beaux ?

Il déglutit péniblement, tandis que l'image des boucles flamboyantes s'imposait à lui.

— Si, répondit-il d'une voix rauque.

— Alors pourquoi tu ne l'aimes pas ?

— Je la trouve sympathique, esquiva-t-il.

Amaryllis ne dit rien mais son silence était éloquent.

— Bon, d'accord, elle m'a agacé, reconnut Steven. Personne ne t'a jamais agacé ?

— Je l'ai trouvée gentille.

— Elle l'est peut-être. C'est difficile de juger quelqu'un qu'on n'a vu qu'une seule fois.

Ou même deux, ajouta-t-il *in petto*.

— On va la revoir ?

Steven n'hésita que quelques secondes avant de répondre.

— Oui. Et le plus vite possible.

Il appela aussitôt Indigo Television de son portable, mais Martin Tammery, furieux du veto qu'il avait opposé à la cession des droits de rediffusion, refusa catégoriquement de lui communiquer les coordonnées de Pepper.

— J'ai un devoir de confidentialité, prétendit-il avec emphase. C'est une question de déontologie.

Steven raccrocha en réprimant un juron. S'il voulait percer le mystère de sa déesse flamboyante, il allait devoir trouver un autre moyen de la joindre. Mais après tout, ça ne devait pas être si compliqué. Il suffisait de s'adresser à Calhoun Carter.

Il déchanta rapidement.

Quand il téléphona au siège du groupe le lendemain, on lui donna une adresse électronique en lui affirmant que Mlle Calhoun se trouvait à New York. Il s'empressa d'envoyer un e-mail, mais celui-ci resta sans réponse.

Il se décida alors à interroger toutes les relations qu'il avait dans le milieu des affaires. Malheureusement, personne ne connaissait les coordonnées de Penelope

Anne Calhoun. De toute évidence, personne non plus ne regardait Indigo Television à l'heure du déjeuner, constata-t-il avec soulagement. Cela lui évitait au moins d'avoir à expliquer pourquoi il souhaitait la joindre...

Il avait pratiquement perdu tout espoir de la retrouver, quand Valerie lui annonça un matin que les étudiants de première année s'étaient mis en tête d'inviter Mlle Calhoun à diriger le grand débat de fin de trimestre avec lui. Apparemment, ceux qui avaient suivi l'émission l'avaient trouvée captivante.

Steven arqua les sourcils. Captivante ? C'était de l'humour noir, sans doute. Toutefois, cette initiative inattendue allait peut-être résoudre son problème. Avec un peu de chance, les étudiants réussiraient là où il avait échoué et trouveraient un moyen de joindre Pepper Calhoun. Ragaillardi, il monta en courant l'escalier en spirale qui menait à son appartement. Il rentrait de son jogging quotidien et devait prendre une douche avant d'assister à une réunion du comité de collecte de fonds.

Quand il redescendit dans son bureau, il trouva Amaryllis installée devant son ordinateur.

— Tu finis un devoir avant de partir à l'école ? demanda-t-il.

— Non, je visite le site de mon amie Pepper.

Ebahi, Steven se précipita devant l'écran.

Ce matin-là, la réunion du comité de collecte de fonds débuta avec une heure de retard.

Le cocktail d'inauguration du Grenier battait son plein et Pepper observait la foule avec satisfaction. Pour l'instant, tout se déroulait à merveille. L'atmosphère était détendue et les invités passaient visiblement une soirée agréable. Elle avait accueilli chacun d'entre eux avec un petit discours personnalisé. Cela lui avait permis de faire passer des messages ciblés, tandis que les convives, eux, en avaient été flattés.

— Moi qui déteste les mondanités, je me sens comme un poisson dans l'eau, confia-t-elle à Izzy.

Sa cousine, qu'elle avait engagée pour la seconder le temps du lancement de la boutique, eut un sourire espiègle.

— C'est parce que tu es là pour travailler et pas pour t'amuser.

Pepper pouffa.

Izzy la taquinait sans cesse sur son manque d'intérêt pour tout ce qui ne concernait pas son sacro-saint projet.

Jemima, qui prêtait gracieusement son concours à cette soirée en présentant plusieurs tenues créées pour le Grenier, se joignit à elles un instant.

— Tous les gens avec qui j'ai discuté sont très impressionnés. Tu vas faire un malheur, Pepper.

— Ça se présente bien, en effet, acquiesça l'intéressée sans fausse modestie. Il faut encore que je parle à...

Elle se figea.

— Que fait-il ici ? demanda-t-elle d'une voix blanche.

— Si tu veux parler du séduisant professeur à la carrure d'athlète, c'est un de tes plus fervents admirateurs, apparemment.

— Quel toupet ! Venir après la façon dont il m'a traitée à la télévision !

— C'est lui ? s'exclama Izzy d'un ton incrédule. Il ne manque pas d'air !

— Tu ne nous avais pas précisé qu'il était aussi sexy, commenta Jemima, la mine gourmande.

Devant le regard noir que lui décocha sa cousine, elle éclata de rire.

— D'accord, d'accord, nous n'avons pas le même point de vue. Que vas-tu faire ?

— Le jeter dehors ! intervint Izzy avec feu. Tu veux que je m'en occupe ?

Pepper promena son regard sur la salle et serra les dents.

— Avec tous les photographes et les journalistes présents, nous ne pouvons pas nous le permettre. D'autant plus que jusqu'à maintenant, personne n'a fait la moindre allusion à cette horrible émission. Il vaut mieux adopter un profil bas.

— Tu ne vas tout de même pas le laisser se pavaner à ta soirée sans réagir !

— Pepper a raison, plaida Jemima. Le meilleur moyen de le neutraliser, c'est de se montrer aimable avec lui. Elle a tout intérêt à donner l'impression qu'ils sont les meilleurs amis du monde.

— En effet, acquiesça Pepper sans quitter Steven Konig des yeux.

A l'autre bout de la pièce, une coupe de champagne à la main, il était en grande discussion avec le chroniqueur financier d'un quotidien prestigieux. Il tourna soudain la tête vers elle.

Arborant aussitôt un sourire éclatant, Pepper leva son verre pour lui porter un toast silencieux. S'il s'imaginait qu'il allait réussir à la ridiculiser une fois de plus, il allait en être pour ses frais !

Quittant abruptement ses cousines, elle se dirigea droit sur lui d'un pas décidé. A sa grande satisfaction, il parut désarçonné. Cependant, il se ressaisit très rapidement.

— Enchanté de vous revoir, mademoiselle Calhoun, dit-il d'une voix charmeuse. J'ai suivi sur Internet l'élaboration de votre projet, et je dois dire que j'ai été très impressionné. Je tenais à vous féliciter de vive voix.

— Merci, répondit Pepper avec une mine enjôleuse. Trinquons ensemble au succès du Grenier.

Au même instant, un photographe prit en rafale plusieurs clichés d'eux. Parfait, songea-t-elle avec satisfaction. Sur les photos, ils auraient l'air de flirter. Avec un peu de chance, Steven Konig aurait droit à une scène chez lui lorsque les photos seraient publiées dans la presse...

Se penchant vers lui, elle posa la main sur son bras. Il fut obligé de se pencher pour l'entendre.

— Surtout n'hésitez pas à débarrasser le plancher le plus vite possible, espèce de goujat, susurra-t-elle sans cesser de sourire.

— C'est justement pour vous présenter mes excuses que je tenais à vous revoir, répliqua-t-il d'un air penaud.

Ce fut au tour de Pepper d'être désarçonnée.

— Pardon ?

— Il faut que vous sachiez que je n'ai jamais eu l'intention de vous blesser. C'est un horrible malentendu.

Il arborait une mine si confuse, il semblait si sincère... C'était vraiment un excellent comédien, songea Pepper. Malheureusement pour lui, elle gardait un souvenir très précis du dernier homme qui lui avait menti. Ed Ivanov lui avait paru très convaincant, lui aussi...

Sans lui lâcher le bras, elle répliqua d'une voix suave :

— Inutile de vous fatiguer. Je ne sais pas à quel petit jeu vous jouez, mais vous feriez mieux d'abandonner tout de suite la partie.

— Je ne joue pas ! protesta-t-il avec une véhémence qui ébranla Pepper. Croyez-moi, j'avais l'esprit ailleurs et j'ai parlé sans réfléchir. Je sais que les apparences sont contre moi, mais vous devez absolument me croire.

Elle eut une moue dédaigneuse, cependant le doute commençait à s'insinuer dans son esprit. Il y avait dans la voix de cet homme un accent de sincérité très troublant. Se pourrait-il qu'il dise vrai ?

Il profita de son hésitation pour proposer :

— Si nous dînions ensemble ? Je voudrais tellement me faire pardonner.

Elle fut tentée d'accepter. Tellement tentée qu'elle décida de refuser. « Son remords n'est peut-être pas feint, mais il est inspiré uniquement par la pitié. C'est encore plus humiliant que s'il continuait de m'insulter. »

— Non merci, répondit-elle sèchement.

— Pourquoi ?

— Vous m'avez présenté vos excuses. Restons-en là. Merci et au revoir.

— Je ne bougerai pas d'ici.

Pepper fut submergée par une rage froide.

— Je vous rappelle que vous êtes chez moi.

— C'est vrai, acquiesça-t-il avec un sourire mielleux. Et ça grouille de journalistes. Or si je m'en vais, je vous promets que ma sortie ne sera pas discrète. Avez-vous vraiment envie de ce genre de publicité ?

Ils se défièrent du regard. Elle était coincée, songea Pepper en sentant son pouls s'accélérer. Ces yeux... Ils lui rappelaient quelqu'un. Ce n'était pas la première fois qu'elle avait cette impression...

— Venez avec moi, murmura-t-il d'une voix rauque. Je connais un restaurant où nous pourrons discuter en toute tranquillité.

De nouveau, elle fut tentée. Pourquoi était-elle envahie par un trouble qu'elle n'avait pas ressenti depuis son adolescence ? Son adolescence ! Son flirt avec Ed ! Qui n'était sorti avec elle que par intérêt... Pas question de retomber dans le même genre de piège.

— Nous avons déjà discuté, répliqua-t-elle froidement. Ça n'a pas été pour moi une expérience agréable et je n'ai aucune envie de la renouveler.

Curieusement, il ne sembla nullement découragé.

— Vous avez tort, assura-t-il avec un sourire espiègle.

Il se payait ouvertement sa tête ! se dit-elle, atterrée. De toute évidence, il la considérait comme une gamine qui faisait un caprice mais qui finirait par entendre raison. Il fallait absolument qu'elle s'éloigne au plus vite de cet individu, sinon, elle risquait bien de perdre son sang-froid.

— Ecoutez, si vous y tenez, restez ici, déclara-t-elle d'une voix qu'elle espérait assurée. Enivrez-vous avec mon champagne et amusez-vous tant que vous voudrez.

— Merci. Je n'y manquerai pas. En fait, je m'amuse déjà beaucoup.

Ignorant ce commentaire, elle précisa :

— Mais ne m'approchez plus. Si vous m'adressez encore la parole, je vous fais jeter dehors sans me soucier des photographes ni des journalistes. Je vous aurai prévenu.

— Ne vous inquiétez pas, je m'en souviendrai, répliqua-t-il gravement.

Avant de s'éloigner, Pepper eut le temps de noter que ses yeux pétillaient de malice.

Que lui arrivait-il ? se demanda-t-elle, effarée. Jamais personne n'avait réussi à la déstabiliser à ce point. Elle en avait même oublié l'enjeu de cette soirée. C'était un comble ! L'espace d'un instant, elle n'avait eu qu'une envie : jeter le contenu sa coupe de champagne au visage de Steven Konig au risque de provoquer un scandale et de se ridiculiser une fois de plus.

Izzy la rejoignit.

— Que se passe-t-il ? Tu fais une drôle de tête.

— C'est ce pays de dingues. Je ne m'habituerai jamais à la mentalité des Anglais.

— Tu es sûre que ce n'est pas un Anglais en particulier qui te perturbe ? En tout cas, ton fameux professeur est manifestement subjugué. Il a une façon de te dévorer des yeux...

— Ne dis pas de sottises ! s'exclama Pepper avec humeur.

— Je t'assure. Je vous ai observés attentivement et je peux t'affirmer qu'il est sous le charme. Et puis Jemima a raison, il est très sexy. Si j'étais toi, je me laisserais séduire.

Pepper fut outrée.

— N'y pense même pas ! C'est hors de question.

— Pourquoi ? Tu ne crois pas que tu devrais essayer de penser un peu au plaisir, de temps en temps ? Il n'y a pas que le travail dans la vie. Tu t'es surmenée, ces derniers mois ; il serait temps de lever un peu le pied.

Pepper eut un geste impatient.

— Au contraire. Le Grenier requiert plus que jamais mon attention. Et de toute façon, je t'avais prévenue : pour moi, les affaires passent avant tout le reste. Personne ne me détournera de mon objectif. Surtout pas M. J'ai-toujours-raison.

Sur ces mots, Pepper tourna les talons pour aller discuter avec un directeur de magazine dont elle comptait obtenir un article.

Un peu plus tard, alors qu'elle s'apprêtait à rejoindre une rédactrice de mode, elle fut abordée par Bobby Franks, l'un des chroniqueurs financiers les plus en vue de Londres. Après les félicitations d'usage, il déclara :

— J'ai entendu parler de votre prestation dans l'émission de Martin Tammery, *Profitez de leur expérience.* Il paraît que vous avez été particulièrement brillante.

Se raidissant, elle leva vers lui un regard méfiant.

— Bien sûr, j'ai également entendu dire que vous aviez eu un échange, disons... un peu vif avec le professeur Konig.

Pepper eut un sourire crispé.

— Bien sûr...

— Inutile de vous inquiéter, dit-il d'une voix apaisante. Etre informé de tout fait partie de mon métier, mais je peux vous assurer qu'aucun autre de vos invités n'est au courant. L'émission est passée à une heure de très faible écoute et elle ne sera jamais rediffusée. Ni sur Indigo, ni sur une autre chaîne.

— Qu'est-ce qui vous fait penser ça ?

— Steven Konig a refusé de signer la cession des droits. Je le sais de source sûre puisque c'est Martin Tammery lui-même qui me l'a confié. Il essayé de fléchir Konig par tous les moyens, mais celui-ci s'est montré intraitable.

Pepper n'en revenait pas.

— Vous en êtes certain ? J'ai du mal à vous croire.

— Vous pouvez me faire confiance.

Pepper secoua lentement la tête. Comment mettre en doute la parole de Bobby Franks ? C'était un des journalistes les plus réputés d'Europe. Néanmoins, cette nouvelle était stupéfiante...

— Pourquoi Steven Konig aurait-il pris cette peine ?

— Sans doute a-t-il des problèmes avec sa conscience. Mais si vous tenez à le savoir, le mieux serait de lui poser la question directement.

Un peu plus tôt dans la soirée, Steven avait mis Bobby au courant de toute l'histoire en lui demandant de plaider discrètement sa cause. Ils étaient amis de longue date et il n'avait pas voulu lui refuser ce service.

Devant le visage fermé de Pepper, il comprit que la partie était loin d'être gagnée.

— Je comprends que vous ne soyez pas convaincue mais moi qui le connais bien, je peux vous assurer que c'est un homme qui a des principes, insista-t-il. Alors qu'il pourrait être millionnaire, il préfère reverser sa part des bénéfices de K-plant à un fonds de soutien aux agriculteurs des pays en voie de développement.

Constatant que Pepper ne semblait pas impressionnée, Bobby Franks fit une dernière tentative.

— Donnez-lui une chance de s'expliquer. Il est toujours dommage de rester sur un malentendu.

Puis il prit congé et s'en alla. Il avait encore plusieurs invitations à honorer ce soir-là.

— Oublie-la, mon vieux, glissa-t-il à l'oreille de Steven en passant. C'est sans espoir.

Steven regarda Pepper à l'autre bout de la pièce. Elle était en train de rire et avait de nouveau le visage rayonnant de sa déesse flamboyante.

— Je trouverai un moyen de l'amadouer, affirma-t-il avec conviction.

Franks eut une moue dubitative.

— Je te le souhaite, malheureusement ça m'étonnerait beaucoup. Non seulement c'est une femme de tête, mais je la soupçonne d'avoir une dent contre les hommes. Et crois-moi, je m'y connais. Enfin, bonne chance quand même !

Cela lui arrivait rarement, mais pour une fois, Bobby Franks se trompait.

En fin de soirée, Steven, qui ne quittait pas Pepper des yeux, la vit poser son verre, prendre une profonde inspiration et traverser la pièce d'un pas décidé. C'était vers lui qu'elle se dirigeait, constata-t-il, le cœur battant.

— On m'a raconté que vous aviez refusé de céder les droits de rediffusion du débat, lança-t-elle en relevant le menton.

— C'est exact.

— Pourquoi ?

Il la considéra en silence. Elle était vraiment splendide... Ses immenses yeux émeraude dardaient sur lui un regard de défi. Elle attendait sa réponse mais il n'avait qu'une envie, l'embrasser fougueusement.

— Si c'est parce que vous avez eu pitié de moi, ce n'était pas la peine, reprit-elle sur le même ton agressif. Je n'ai pas besoin qu'on me ménage et je suis parfaitement capable de me défendre toute seule.

Divine ! Elle était divine. Comment réagirait-elle s'il cédait à son désir et la prenait dans ses bras ?

A cette idée, Steven déglutit péniblement.

— Je sais que vous n'avez besoin de personne pour vous défendre.

— Alors pourquoi vous mêlez-vous de mes affaires ?

— J'ai été grossier sans le vouloir et je tenais à réparer ma maladresse. Si j'ai refusé de signer, c'est à la fois dans mon intérêt et dans le vôtre. Je cherchais autant à apaiser ma conscience qu'à vous ménager.

Sa stratégie allait-elle se révéler payante ? se demanda-t-il avec anxiété avant de poursuivre :

— Pour être tout à fait sincère, je n'avais pas très envie non plus que l'image peu flatteuse que cet enregistrement donne de moi me poursuive tout au long de ma carrière.

Il retint son souffle, tandis qu'elle inclinait légèrement la tête d'un air perplexe.

— Vous cherchiez à vous protéger, vous aussi ?

— Oui.

Le visage de Pepper s'illumina soudain d'un sourire radieux qui creusa sa joue d'une fossette. Bouleversé, Steven dut faire appel à toute sa volonté pour ne pas la prendre dans ses bras. Il avait enfin retrouvé sa belle déesse ! Quel bonheur !

— Vous mentez assez mal mais je vous remercie, déclara-t-elle en lui tendant la main. C'est à mon tour de vous présenter mes excuses, je crois.

« Mon vieux Bobby Franks, tu n'y connais rien ! Cette femme veut simplement qu'on la respecte », songea Steven, ravi.

Il se sentit alors libéré d'un énorme poids qui l'oppressait depuis des semaines.

— Si vous tenez vraiment à vous excuser, acceptez de dîner avec moi, murmura-t-il d'une voix rauque.

Il sentit la main de Pepper tressaillir dans la sienne.

— Je...

— Allons ! fit-il en lui saisissant l'autre main. Vous ne pouvez pas me refuser cette faveur !

5.

Quel idiot, mais quel idiot ! se fustigea Steven pendant tout le trajet en train jusqu'à Oxford.

Pas étonnant que Pepper ait refusé de dîner avec lui... Elle avait eu peur qu'il lui saute dessus avant la fin des hors-d'œuvre ! Aucune femme sensée n'accepterait de dîner avec un homme aussi empressé. Or Pepper Calhoun était une femme plus que sensée. Et si séduisante...

Surtout quand elle était troublée. Ses pommettes se coloraient et ses longs cils frémissaient, tandis que ses splendides yeux émeraude se voilaient. Puis elle humectait du bout de la langue ses lèvres sensuelles...

Submergé par une vague de désir, il s'efforça de se concentrer sur le paysage qui défilait derrière la vitre. Bon sang ! Cette femme avait réveillé en lui des pulsions qu'il croyait annihilées depuis presque quinze ans...

Que lui avait-il donc pris de se montrer aussi insistant ? Il avait bêtement réduit à néant tous les efforts qu'il avait dû déployer pour gagner sa confiance. N'aurait-il pas pu se contenter de cette première victoire ?

— Pauvre crétin ! lança-t-il à haute voix.

Par chance, le wagon était vide. Incapable de tenir en place, il se leva et arpenta nerveusement le couloir, l'esprit en ébullition.

Comment allait-il s'y prendre pour réparer cette erreur et reprendre contact avec Pepper Calhoun ?

Quelle idiote, mais quelle idiote ! Attablée dans un restaurant italien où Jemima avait réservé une table pour dîner après le cocktail, Pepper ne parvenait pas à chasser de son esprit sa discussion avec Steven Konig. Que lui avait-il pris de refuser son invitation ?

La soirée avait été une véritable réussite et vaudrait à coup sûr au Grenier des articles élogieux. Elle n'aurait pas pu rêver mieux et pourtant, elle devait se retenir pour ne pas hurler de frustration... C'était un comble ! Elle qui adorait la compagnie de ses cousines, elle trouvait ce repas interminable et mortellement ennuyeux. Que faisait-elle là alors qu'elle aurait pu être en train de dîner en tête à tête avec Steven Konig ?

Ce dîner aurait été l'occasion idéale de s'expliquer et de régler leur différend une fois pour toutes. Alors pourquoi avait-elle battu en retraite comme une collégienne effarouchée ? Il avait dû la trouver stupide.

Avec raison, se dit-elle sombrement. Elle était bel et bien stupide.

Ses spaghettis carbonara ne l'inspirant plus du tout, elle repoussa son assiette.

— Jemima et toi vous allez vexer le chef, protesta Izzy d'un air réprobateur.

Jemima s'était contentée d'étaler sa salade niçoise sur son assiette sans rien manger, à part peut-être une bouchée de thon et quelques olives, constata Pepper, effarée. Pas étonnant qu'Izzy s'inquiète !

Mais Jemima ignora la remarque de sa sœur.

— Ton Steven Konig est décidément très séduisant, Pepper, déclara-t-elle d'un ton enjoué. Il mérite de figurer sur la liste.

Izzy et elle avaient dressé la liste des hommes qu'elles considéraient comme dignes d'intérêt, désignés par le sigle S.E.M. pour « spécimens d'une espèce menacée ».

Pepper fronça les sourcils. Elle n'avait aucune envie que ses cousines s'intéressent de trop près à Steven.

— Laisse tomber, Jay Jay, lança-t-elle d'un ton plus sec qu'elle ne l'aurait voulu.

— Ne t'inquiète pas, rétorqua Jemima, visiblement vexée. Je n'ai pas l'habitude de marcher sur les plates-bandes de mes proches.

— Ce ne sont pas mes plates-bandes ! s'emporta Pepper. Vous savez parfaitement qu'il n'y a rien entre nous. Et de toute façon, il ne me plaît pas.

Les deux sœurs se lancèrent un regard entendu avant d'abandonner le sujet.

Une fois de retour à l'appartement, Pepper ne put s'empêcher d'insister.

— Je suis sérieuse, les filles. Laissez Steven Konig tranquille. Ce n'est pas votre genre d'homme.

Jemima se déchaussa, envoya ses escarpins à talons aiguilles de douze centimètres à l'autre bout de la pièce, puis se laissa tomber sur le canapé.

— Je t'ai déjà dit de ne pas t'inquiéter. De toute façon, il n'a d'yeux que pour toi.

— Mais non ! s'écria Pepper avec irritation.

Izzy, qui avait commencé à se déshabiller à peine arrivée, allait et venait dans le salon en slip et en soutien-gorge de dentelle rose saumon.

« Me sentirais-je plus sexy si je portais de la lingerie fine ? » se demanda Pepper. Songeant à ses bourrelets, elle réprima une grimace.

— Tu vois, je ne suis pas la seule à avoir remarqué qu'il te dévorait des yeux, renchérit Izzy. Es-tu certaine qu'il ne te plaît pas ? Tu n'as trouvé à ton goût aucun des hommes que nous t'avons présenté. Ça devient inquiétant !

— Quels hommes ?

Les deux sœurs éclatèrent de rire.

— Elle ne s'est rendu compte de rien, commenta Jemima en soupirant.

— J'en étais sûre ! lança Izzy.

Pepper était indignée.

— Vous avez essayé de me trouver un petit ami ?

— Bien sûr, répliqua Izzy.

Pepper se mit à arpenter le salon à grands pas.

— Comment avez-vous osé ? Vous n'avez pas le droit !

Ses cousines échangèrent des regards interloqués.

— Quoi de plus naturel ? s'exclama Izzy. Toutes les filles se rendent ce genre de service.

— Eh bien, moi je ne supporte pas ça ! Essayez de vous en souvenir, d'accord ?

Pepper prit une profonde inspiration. Il fallait absolument qu'elle se calme. Après tout, ses cousines ne lui voulaient aucun mal. Au contraire.

— Ecoutez, j'apprécie votre sollicitude, mais il faut que vous compreniez que nous sommes différentes. Je suis déjà sortie avec des garçons, mais ça n'a jamais été... de vraies rencontres. Vous comprenez ?

Jemima garda un silence prudent. Izzy, comme à son habitude, se montra plus directe.

— Tu veux dire que tu n'as jamais fait l'amour ?

Pepper devint écarlate. Elle ne parviendrait jamais à se montrer aussi détendue que ses cousines lorsque celles-ci abordaient les sujets les plus intimes.

— Bien sûr que si, répliqua-t-elle avec un sourire crispé.

— Alors explique-toi.

Pepper hésita. C'était encore plus difficile qu'elle ne l'aurait cru.

— En fait, chaque fois que j'ai eu un petit ami...

Elle se mordit la lèvre. Non, elle n'y arriverait pas. Comment avouer que tous les garçons qu'elle avait fréquentés avaient été soudoyés par sa grand-mère ? Impossible d'en parler. Même à ces cousines que rien ne semblait pouvoir choquer.

Pepper fut envahie par une immense lassitude. Se remettrait-elle un jour du traumatisme que lui avait infligé Mary Ellen en lui révélant la vérité sur sa vie amoureuse ?

— Ecoutez les filles, je vous répète que j'apprécie vos efforts, mais il vaut mieux que vous laissiez tomber, d'accord ? J'ai eu suffisamment de petits amis pour savoir que je me porte beaucoup mieux sans. Croyez-moi.

Pepper ne parvint pas à trouver le sommeil. Après s'être retournée des dizaines de fois dans son lit, elle finit par se lever au milieu de la nuit. A pas feutrés, elle gagna la cuisine et se prépara une tasse de ce thé corsé qu'elle appréciait pourtant si peu.

Oh, ce n'était pas juste ! se lamenta-t-elle intérieurement. En principe, elle aurait dû être la plus heureuse des femmes. Elle avait trouvé en un temps record les capitaux nécessaires pour créer son entreprise. Le cocktail de lancement du Grenier avait été un véritable succès. Il ne lui restait plus qu'à effectuer les derniers travaux, confirmer les commandes aux fournisseurs et ouvrir la boutique.

Or au lieu de savourer sa victoire, elle se morfondait dans l'obscurité, l'esprit entièrement accaparé par un homme qu'elle n'avait rencontré que deux fois !

Ce n'était pourtant pas le moment de rêvasser comme une adolescente, se morigéna-t-elle. Plus que jamais, il lui fallait se comporter en adulte et assumer ses responsabilités. Elle ne pouvait pas se permettre de décevoir les investisseurs.

Redressant les épaules, elle termina sa tasse. Allons, pas question de se laisser aller. D'ailleurs, elle se sentait déjà mieux. Le plus important pour elle était de réussir sa vie professionnelle, non ?

Sautant de son tabouret, Pepper alla chercher ses dossiers dans sa chambre. Il était temps de préparer la deuxième phase de son projet.

Son enquête concernant l'implantation des succursales était très fouillée, se félicita-t-elle un instant plus tard, installée à la table de la cuisine. Démographie, transports, équipements locaux, profil sociologique de la clientèle. Tous les critères de sélection avaient été soigneusement étudiés.

« La seconde boutique est encore plus importante que la première sous bien des aspects, avait-elle noté. Afin de limiter les frais de gestion, elle devra être située à deux heures de trajet au plus de la première. »

Elle passa en revue les différentes possibilités. Quelle ville choisir ? St Albans ? Esher ? Oxford ?

Oxford... Que lui évoquait ce nom ? Soudain, elle se figea. Une barbe noire, un regard pénétrant... L'inconnu de l'avion ! Ses yeux... Ses mains...

Elle s'entendit plaisanter. « Seriez-vous sous contrat avec la ville pour y promouvoir le tourisme ? »

L'inconnu à la barbe noire lui avait chanté les louanges d'Oxford.

Et il n'était autre que Steven Konig.

Laissant échapper le dossier qu'elle tenait dans les mains, Pepper réprima un cri. Oh, Seigneur ! Comment ne s'en était-elle pas rendu compte plus tôt ?

La porte de la cuisine s'ouvrit et Izzy entra en bâillant.

— Salut. Tout va bien ?

Encore sous le coup de sa découverte, Pepper ne répondit pas. Steven Konig et l'inconnu de l'avion n'étaient qu'une seule et même personne ! C'était Steven Konig qui lui avait assuré : « Je suis sûr que vous êtes capable de réussir tout ce que vous entreprenez. »

Elle avait tellement regretté qu'il ne lui ait pas donné sa carte... Comment avait-elle pu ne pas le reconnaître ?

Tout à coup, elle sentit le sang se retirer de son visage. Et lui, l'avait-il reconnue ?

Sans doute.

Quand ils s'étaient revus à Indigo Television, il n'avait plus rien de commun avec l'inconnu en manches de chemise au visage mangé par la barbe. Rasé de près et vêtu d'un costume impeccable, c'était un autre homme.

Mais elle, elle était la même. D'autant plus qu'elle portait toujours le même style de tailleur. Il n'avait pas pu ne pas la reconnaître.

Alors pourquoi n'avait-il rien dit ?

— Tu fais une drôle de tête, dit Izzy en se laissant tomber sur une chaise en face d'elle. Qu'est-ce qui t'a sortie du lit de si bon matin ? La gueule de bois ? Ou l'angoisse de la jeune créatrice d'entreprise au moment où son projet se concrétise ?

— Steven Konig. Je... je sais qui il est, bredouilla Pepper d'une voix blanche.

Izzy arqua les sourcils.

— Hou ! C'est plus grave que je ne le pensais. Tu as dépassé le stade de la simple gueule de bois, apparemment. Figure-toi, ma mignonne, que nous savons toutes qui est Steven Konig. Un mâle très sexy qui t'a... disons... malmenée devant des caméras de télévision avant de succomber à ton charme.

— Pas du tout ! Enfin... si, peut-être. Mais pas seulement. Je l'avais déjà rencontré avant. Comment ai-je pu ne pas le reconnaître ?

— Qu'est-ce que tu racontes ?

Pepper raconta à sa cousine sa rencontre avec l'inconnu à la barbe noire, au-dessus de l'Atlantique.

— Il avait une allure complètement différente. On aurait pu le prendre pour je ne sais pas, moi... un pirate !

Si Izzy le trouvait sexy en costume, qu'aurait-elle pensé en le voyant ce jour-là avec sa mine canaille et sa tenue désinvolte ? se demanda Pepper en s'efforçant d'ignorer la chaleur intense qui se répandait dans tout son corps.

— En tout cas, pas du tout le genre d'homme qui m'attire d'habitude, précisa-t-elle.

— Ravie d'apprendre qu'il existe un genre d'homme qui t'attire, commenta Izzy d'un ton pince-sans-rire. Peut-on savoir de quel genre il s'agit ?

Pepper ignora cette question.

— Mais tout à coup, l'avion s'est incliné et je suis tombée dans ses bras. Il m'a retenue et j'ai senti...

— Comme une décharge électrique ?

— C'est ça oui, acquiesça Pepper, embarrassée. Ça me ressemble si peu...

— Quelle chance tu as ! Surtout que de toute évidence, il a ressenti la même chose.

— Tu es sérieuse ? murmura Pepper, partagée entre l'espoir et la crainte.

— Ecoute, je vois les hommes se pâmer devant Jemima depuis qu'elle a douze ans. Fais confiance à mon œil de lynx. Hier soir, Steven Konig était subjugué. C'est fantastique ! Fonce !

Pepper laissa échapper un gémissement.

— Oh, pourquoi faut-il que ça m'arrive justement maintenant ? Je n'ai pas le temps ! J'ai trop de travail.

Izzy leva les yeux au ciel.

— Ça ne tombe jamais au bon moment. Mais au lieu de te lamenter, tu ferais mieux de te réjouir.

Ayant eu beaucoup de mal à s'endormir, Steven s'était réveillé en retard. Il avait été obligé d'écourter son jogging, et à son retour il n'avait pas eu le temps de prendre sa douche avant de préparer le petit déjeuner d'Amaryllis.

Perchée sur un tabouret devant le comptoir de la cuisine, elle mangeait ses corn-flakes en balançant ses jambes. Revêtue de son uniforme scolaire, elle arborait un air innocent dont il avait appris à se méfier.

— Tu as préparé mon badge pour la compétition sportive ? demanda-t-elle entre deux bouchées.

— Pardon ?

— Il me faut un badge avec mon nom. Et mon prénom.

Au cas où il n'aurait pas compris, elle répéta.

— Mon nom de famille et mon prénom. Je t'en ai déjà parlé.

— Oh, oui. Nous allons demander à Val.

— Elle ne peut pas le faire.

— Bien sûr que si.

Steven but une gorgée de café. Comment allait-il réussir à convaincre Pepper Calhoun de lui donner encore une chance ?

— Non, elle ne peut pas.

Amaryllis se mit à pleurnicher.

— Tu m'avais promis que tu t'en occuperais.

Steven regarda la petite fille avec stupéfaction. Ce n'était pas dans ses habitudes de faire des caprices. Que lui arrivait-il ?

— Calme-toi. Il n'y a pas de problème. Si tu as besoin d'un badge, tu vas en avoir un. Pourquoi Val ne pourrait-elle pas le faire ?

Amaryllis s'arrêta de pleurnicher avec une rapidité suspecte.

— Mon prénom est trop long.

Ses yeux étaient parfaitement secs, constata Steven, qui commençait à comprendre où elle voulait en venir.

— Je vois. As-tu une solution ?

— Il vaudrait mieux que j'aie un prénom spécial pour l'école.

— Ah.

— Un prénom plus court.

Réprimant un sourire, Steven hocha la tête.

— Pour qu'il puisse tenir sur le badge. C'est une bonne idée. Tu as une suggestion ?

Amaryllis hocha la tête d'un air vertueux.

Il éclata de rire.

— D'accord. Je vais m'en occuper, petite maligne !

Elle descendit de son tabouret avec un sourire radieux.

— Merci.

La mère d'une de ses camarades de classe passait la chercher en voiture tous les matins, et Steven l'accompagnait toujours jusqu'au pavillon du gardien, où il attendait son départ. Ce matin, il allait être obligé d'y aller en short et en T-shirt, se dit-il. Mais après tout, quelle importance ?

— Quel est ton emploi du temps, aujourd'hui ?

— Français et danse, répondit Amaryllis en ne citant que ses matières préférées. Et ce soir, je dors chez Sarah.

De toute évidence, avant son arrivée à Oxford, Amaryllis n'avait jamais eu d'amies de son âge. Apparemment déterminée à rattraper le temps perdu, elle était toujours prête à dormir chez une copine.

C'était une matinée d'été splendide. Les pelouses étaient inondées de soleil et les arcs-boutants de la chapelle médiévale prenaient des reflets d'or et de miel. Même les gargouilles semblaient sur le point de se lancer dans une ronde joyeuse.

C'était fou à quel point quelques rayons de soleil pouvaient inciter à l'optimisme ! songea Steven. Il était presque prêt à croire qu'il allait trouver un moyen de conquérir Pepper...

— Bonjour, Pepper !

En entendant l'exclamation joyeuse d'Amaryllis, Steven tressaillit. La petite fille lâcha sa main et se mit à courir, tandis qu'il restait cloué sur place. Ce n'était pas possible !

Et pourtant si.

La crinière flamboyante flottant dans la brise matinale, sa belle déesse sortait du pavillon du gardien. Elle semblait un peu embarrassée. Et stupéfaite de voir l'enfant se précipiter vers elle.

— Bonjour, dit-elle en caressant les cheveux d'Amaryllis d'un geste gauche. Comment ça va ?

La question s'adressait autant à lui qu'à Amaryllis, comprit Steven. Il se sentit submergé par une joie extrême. Pour un peu il aurait dansé sur place !

Prudence, se dit-il aussitôt. Prudence. Un seul faux pas et elle disparaîtrait de nouveau.

Réprimant une envie irrésistible de se précipiter vers elle, il la rejoignit d'un pas nonchalant.

— Très bien, répondit-il. Amaryllis part à l'école, mais à part ça, elle va bien aussi. Et vous ?

— Bien également.

Pepper promena son regard autour d'elle. Oh oui, pas de doute. Elle était embarrassée.

Bon sang ! Quand elle avait cette mine de petite fille perdue, il avait envie de la serrer dans ses bras en lui murmurant des paroles rassurantes à l'oreille. Mais pour l'instant, mieux valait s'abstenir.

— Votre visite est une surprise agréable, déclara-t-il prudemment.

Malgré lui, sa voix débordait de tendresse.

— Qu'est-ce qui vous amène à Oxford ?

Pepper lui jeta un coup d'œil furtif, mais détourna son regard avant qu'il rencontre le sien. Etait-ce un effet de son imagination ou ses joues avaient-elle réellement rosi ?

Le gardien sortit sur le seuil du pavillon.

— Mme Lang est arrivée, monsieur le directeur.

Steven s'efforça de reprendre ses esprits.

— Merci, monsieur Jackson. Amaryllis, il faut y aller.

La petite fille se détacha de Pepper à contrecœur.

— Viendras-tu assister à la compétition sportive ? demanda-t-elle à cette dernière.

Pepper regarda Amaryllis d'un air perplexe.

— Nous verrons, intervint Steven. Ne fais pas attendre Mme Lang.

— Je participe à l'épreuve de saut en hauteur, précisa Amaryllis.

Elle tira sur la manche de Pepper pour l'inciter à baisser la tête et déposa un baiser sur sa joue. Puis elle embrassa Steven.

— Au revoir, coquine, dit-il.

Il ne put s'empêcher de rire devant la mine ahurie de Pepper.

— Amaryllis vous apprécie beaucoup. A vrai dire, c'est elle qui a trouvé votre site sur Internet. Elle est très futée. Ce matin, par exemple, elle a entamé des négociations pour un changement de prénom.

Un sourire illumina soudain le visage de Pepper et il sentit son cœur s'affoler dans sa poitrine. Ce merveilleux sourire qui hantait ses rêves ! Et cette fossette qui creusait sa joue... Quel bonheur de les revoir ! Ils lui avaient tellement manqué !

— Qu'est-ce qui vous amène à Oxford ? demanda-t-il de nouveau. Je n'ose pas présumer que c'est uniquement l'envie de me voir.

Pepper devint écarlate.

Fasciné, Steven s'efforçait de lutter contre le désir qui le taraudait. Il l'imaginait si bien, la tête renversée sur l'oreiller inondé de boucles flamboyantes... Se penchant sur elle, il parsemait son long cou ivoire de baisers fervents et...

Holà ! Ce n'était ni le lieu ni l'heure de se laisser aller aux fantasmes ! Il était impossible de l'enlever ici et maintenant, sous le nez d'une gamine de neuf ans et du gardien du collège. Même si c'était très tentant...

— Auriez-vous changé d'avis ? demanda-t-il d'une voix douce.

— A quel propos ?

— Vous voulez bien discuter avec moi, finalement ?

Visiblement au comble de l'embarras, Pepper s'humecta les lèvres. Steven sentit alors son corps s'embraser. La situation devenait intenable...

— Avez-vous pris votre petit déjeuner ? s'enquit-il.

— Non. Je...

— Alors allons-y.

— Non, merci... Je n'ai besoin de rien.

Il ne prit pas le risque de la toucher. Il se contenta de tendre le bras comme pour le lui glisser autour de la taille, mais en respectant un espace de sécurité de plusieurs centimètres. Elle réprima néanmoins un frisson.

Transporté de joie, Steven laissa échapper un petit rire extatique.

— Un café, alors, insista-t-il. Si vous n'en avez pas besoin, moi si.

Seigneur ! C'était bien plus difficile qu'elle ne l'avait imaginé, songea Pepper. Rien ne se passait comme elle l'avait prévu.

Tout d'abord, la vue de l'enfant lui avait causé un choc. Et celle de Steven Konig un choc plus grand encore...

De toute évidence, la petite fille vivait avec lui. Il la traitait avec l'autorité affectueuse d'un père. Pourquoi l'appelait-elle « oncle Steven », dans ce cas ?

Dès qu'elle l'avait aperçu, elle avait senti son cœur s'emballer. Avec son short qui dévoilait des jambes aussi hâlées que musclées, son T-shirt humide de transpiration, ses cheveux en bataille et sa barbe brune, il émanait de lui une sensualité torride.

Il ressemblait tellement à l'inconnu de l'avion qu'elle avait du mal à faire le lien avec Steven Konig, l'intervenant du débat organisé par Indigo Television. Peut-être n'était-il pas si surprenant qu'elle ne l'ait pas reconnu plus tôt, finalement...

Il la conduisit sous un porche, puis dans un passage étroit entre deux bâtiments qui débouchait sur une cour. Au fond de celle-ci se trouvait une tour, vers laquelle il l'entraîna.

— C'est ici que se trouvent à la fois le bureau et le logement du principal, annonça-t-il. Restrictions de budget obligent...

Il ouvrit une lourde porte de chêne et s'effaça pour la laisser entrer.

— C'est très pratique, sauf pour ma secrétaire, qui en sait beaucoup plus sur ma vie privée qu'elle ne le souhaiterait.

Comme pour illustrer ce propos, une femme d'un certain âge sortit sur le palier quand ils atteignirent le premier étage.

— Bonjour, monsieur le principal. Le doyen a téléphoné. Il voudrait vous dire un mot avant la réunion du comité de collecte de fonds.

— Comme d'habitude, marmonna Steven. Autre chose, Val ?

— Rien qui puisse attendre que vous soyez rasé et habillé.

Steven éclata de rire.

— Message reçu, Val ! Mais d'abord, je vais offrir un café à mon invitée.

Il fit les présentations, puis entraîna Pepper vers l'étage supérieur.

— La cuisine, annonça-t-il alors qu'ils pénétraient dans une pièce très lumineuse.

La table de chêne et les appareils électroménagers semblaient aussi antiques que l'escalier en spirale, songea Pepper.

— Servez-vous un café. Je reviens, ajouta-t-il.

Il sortit de la pièce en retirant son T-shirt. Pepper détourna les yeux, mais pas avant d'avoir aperçu un torse recouvert d'une fine toison brune et des épaules musclées. Steven Konig devait faire de l'exercice.

Serait-il vaniteux ? Non, c'était peu probable. Dommage. Il serait moins impressionnant s'il avait au moins un défaut, songea-t-elle en réprimant un soupir.

Pour l'instant, il semblait beaucoup trop proche de la perfection. Séduisant et intelligent, il menait brillamment une double carrière de principal de collège à Oxford et de chef d'entreprise. Pas de doute, elle n'était pas à la hauteur...

La cafetière était à moitié pleine. Elle se servit une tasse et l'avala d'un trait. Elle n'aurait jamais dû venir. C'était une grave erreur. Malheureusement, il était trop tard pour reculer. Elle se resservit un café pour se donner du courage.

Dès que Steven revint, elle se lança dans un discours volubile, qui dura plusieurs minutes. Quand elle eut terminé, il la fixa d'un air ahuri.

— Je veux bien vous croire lorsque vous me dites que c'est seulement après le cocktail que vous vous êtes rendu compte que nous nous étions déjà rencontrés dans l'avion, commença-t-il alors. Mais pourquoi faudrait-il que je vous présente des excuses ? Si vous ne m'avez pas reconnu, ce n'est tout de même pas ma faute.

Pepper se maudit intérieurement. Elle n'était pas venue à Oxford dans l'intention d'exiger des excuses, bien sûr ! Malheureusement, en raison de son trouble, elle s'était embrouillée dans ses explications, et c'était bien ce qu'elle venait de faire... Pas question à présent de se contredire.

— Pourquoi ne pas m'avoir dit que vous étiez l'homme de l'avion ? demanda-t-elle en prenant un air outragé. Vous m'avez reconnue à l'instant même où nous nous sommes revus à Indigo, n'est-ce pas ?

— Pas tout à fait. Vous étiez enrobée dans un imperméable style djellaba, souvenez-vous.

Elle balaya cette objection d'un geste de la main.

— Vous m'avez reconnue.

Il prit un air penaud.

— C'est vrai.

— Pourquoi ne m'avoir rien dit ?

Haussant les épaules, il se servit du café.

— A quoi bon ? Notre rencontre dans l'avion ne vous avait manifestement pas marquée. D'ailleurs, elle n'était pas si importante, n'est-ce pas ?

Pepper sentit son cœur se serrer. Ainsi, l'attirance magnétique qu'elle avait ressentie pour lui n'avait pas été réciproque, finalement. Une fois de plus, elle s'était fait des illusions...

Mais qu'espérait-elle donc ? Elle avait bien cru qu'Ed Ivanov était sorti avec elle parce qu'elle lui plaisait ! Qu'est-ce qui clochait chez elle ? se demanda-t-elle avec amertume. Elle était censée être si intelligente ! Oh bien sûr, dans le domaine professionnel, elle avait un talent incontestable. En revanche, sa vie sentimentale semblait vouée à l'échec. Elle parlait couramment plusieurs langues étrangères, mais elle ne connaissait pas les rudiments du langage amoureux.

Contrairement à Izzy et Jemima, qui le maîtrisaient aussi bien que leur langue maternelle. Comme toutes les autres femmes qu'elle connaissait, d'ailleurs. Sa grand-mère avait raison. Sa seule qualité était son sens des affaires...

Mortifiée, elle chercha son sac du regard.

— Il faut que j'y aille, dit-elle d'un ton qu'elle espérait détaché. Je dois visiter plusieurs locaux pour une future boutique.

Steven trouva son sac, mais ne le lui donna pas immédiatement.

— Si vous restez un moment à Oxford, pourquoi ne nous donnerions-nous pas rendez-vous plus tard ?

— Pour assister à la compétition sportive ?

Il eut un sourire malicieux.

— Pourquoi pas ? Seulement, il faudra attendre la fin du mois. J'envisageais plutôt de vous faire visiter la ville. Nous pourrions aller admirer le panorama depuis St Mary's. Ou bien aller au bord du fleuve.

— Au bord du fleuve ? Comme dans *Le Vent dans les Saules* ? Oh, j'adorais les aventures de ces petits animaux ! Mes parents me les lisaient souvent. C'est à peu près le seul souvenir que je garde d'eux.

Un sourire nostalgique se peignit sur ses lèvres. C'était une image très précise. Ils se trouvaient tous les trois sur une plage. Au Brésil ? Dans les Caraïbes ? Elle ne savait plus… Elle se souvenait juste qu'elle était assise entre son père et sa mère, qui arrêtaient de temps en temps leur lecture pour la chatouiller.

Le regard rêveur, elle ajouta :

— C'était des moments magiques.

Steven l'observait avec curiosité, mais ce fut d'un ton léger qu'il déclara :

— En fait, je ne pensais pas agir comme les personnages de votre lecture d'enfance. A Oxford, les étudiants emmènent les étudiantes au bord du fleuve pour flirter avec elles.

Pepper tressaillit. Flirter ?

— C'est une tradition très ancienne, poursuivit Steven sans paraître s'apercevoir de son trouble. Quand un garçon est amoureux d'une fille, il l'emmène faire un tour en barque, puis il amarre l'embarcation sous un saule pour lui lire des passages d'un livre libertin.

Seigneur ! Elle devait être écarlate ! se dit Pepper en s'humectant les lèvres. Constatant que Steven la fixait de son regard pénétrant, elle rougit de plus belle. Comment s'y prenait-il pour lui faire cet effet ?

— Allons consulter mon agenda pour fixer l'heure de notre rendez-vous, proposa-t-il. C'est une journée idéale pour faire un tour de barque.

Et pour flirter ? se demanda-t-elle en redescendant l'escalier derrière lui. Sans vouloir se l'avouer, elle l'espérait de tout son cœur.

Dans le bureau de Steven, l'ordinateur et l'imprimante tranchaient avec le décor au charme désuet. Face à une imposante cheminée, une bibliothèque en palissandre regorgeait de livres reliés de cuir, visiblement très anciens.

— Quel est mon emploi du temps aujourd'hui, Val ? demanda Steven en pénétrant dans le bureau de sa secrétaire.

Celle-ci consulta son ordinateur sans même leur jeter un coup d'œil. Cette femme ne l'aimait pas, se dit Pepper. Elle releva le menton. Tant pis pour elle !

La secrétaire énuméra une longue liste de rendez-vous qui impressionna Pepper. Steven Konig avait un emploi du temps de ministre ! Pire, l'objet de chacun de ces rendez-vous lui semblait parfaitement incompréhensible...

— Et le déjeuner ? s'enquit Steven.

— Avec le doyen également.

— Annulez. Dites-lui que c'est un cas de force majeure. Une occasion qui n'arrive pas deux fois dans une vie et que je ne peux pas laisser passer.

Le cœur de Pepper se mit à battre la chamade. Avait-elle bien entendu ? Non, c'était impossible... C'était sûrement un échantillon d'humour britannique dont elle ne saisissait pas le sens caché. Toutefois, le regard brûlant dont la couvait Steven n'avait pas l'air d'une plaisanterie...

— Qu'en dites-vous ? demanda-t-il d'une voix rauque. Nous déjeunerons au bord de l'eau et ensuite, je vous ferai la lecture.

Pepper fut parcourue d'un long frisson. Cette allusion était limpide. Etait-elle en train de suivre sa première leçon de langage amoureux ? S'il continuait de la regarder ainsi, elle allait finir par fondre...

— A quelle heure serez-vous de retour, monsieur le principal ? demanda la secrétaire modèle d'un ton désapprobateur.

— Aucune idée, répondit Steven sans quitter Pepper des yeux.

Le trouble de Pepper s'accrut. C'était pour elle une situation inédite. Comment parvenait-il à lui donner le sentiment qu'elle était la femme la plus belle du monde ? Elle était bien placée pour savoir que ce n'était pas le cas. Et pourtant, quand il la regardait ainsi, elle se surprenait à le penser...

— Et Amaryllis ? demanda la secrétaire modèle.

— Elle dort chez une amie.

Hypnotisée, Pepper eut l'impression que la bouche de Steven esquissait un baiser. Un éclair de désir fulgurant la transperça. Alors que tout son corps s'embrasait, une voix intérieure lui souffla : « Attention, danger !» Mais elle n'était pas venue jusqu'à Oxford pour écouter la voix de sa conscience...

— Si je vous accompagne à pied jusqu'au marché couvert, pourriez-vous faire des emplettes pour un pique-nique ? demanda Steven.

Incapable de prononcer un mot, Pepper hocha la tête.

— J'apporterai le vin. Et de la lecture, bien sûr, ajouta-t-il avec un sourire malicieux.

A la mention de cette précision, Pepper sentit son visage s'empourprer jusqu'à la pointe des oreilles.

Et le sourire de Steven devint triomphant.

6.

Il l'entraîna au pas de course jusqu'au centre-ville en lui donnant au passage quelques points de repère.

— Maisons Régence. Eglise Tudor. Collège médiéval. La meilleure librairie de la ville...

A bout de souffle, Pepper protesta :

— Pitié ! Je ne suis pas une adepte de la marche rapide. Pouvons-nous faire une pause ?

Il ne s'arrêta pas, mais ralentit le pas et la prit par le coude pour la guider sous un porche. Parvenu de l'autre côté, il annonça :

— La rotonde de Radcliffe Camera, qui abrite la bibliothèque scientifique.

Pepper laissa échapper un cri extasié devant un édifice circulaire à colonnes doriques, surmonté d'un dôme qui étincelait au soleil. C'était l'un des monuments les plus splendides qu'elle avait jamais vus.

Glissant un bras autour de sa taille, Steven l'attira contre lui.

— Ça vous plaît ? murmura-t-il en se penchant vers elle.

Electrisée, elle eut l'impression de sentir ses lèvres effleurer ses cheveux. C'était stupide ! se dit-elle aussitôt. Les cheveux n'étaient pas munis de terminaisons nerveuses... Il valait mieux se concentrer sur le spectacle qu'elle avait sous les yeux. D'autant plus que le monument valait vraiment la peine d'être admiré.

— Je le trouve superbe, répondit-elle en s'efforçant d'ignorer la chaleur que dégageait ce corps athlétique.

Mais au même instant, Steven la lâcha pour consulter sa montre. Apparemment, le fait de la tenir contre lui ne l'avait pas troublé le moins du monde... Et si l'électricité qui circulait entre eux n'était qu'un effet de son imagination débridée ? se demanda-t-elle avec anxiété. Peut-être se faisait-elle des idées uniquement parce qu'elle n'avait pas l'habitude qu'un homme séduisant la tienne par la taille ?

Décidément, elle était pathétique ! se morigéna-t-elle, furieuse contre elle-même. Elle aurait dû se promener avec un badge signalant : « Attention, femme susceptible d'interpréter vos gestes de travers ! »

— Il faut se hâter si vous ne voulez pas arriver en retard à votre rendez-vous, dit Steven. Par ici...

Il l'entraîna jusqu'au marché couvert. De style victorien, celui-ci était traversé de larges allées bordées de petites baraques proposant une grande diversité d'articles.

— Il date du XVIIIe siècle. C'est un peu l'ancêtre des centres commerciaux. On y trouve pas mal de camelote, mais aussi quelques bouquinistes intéressants. Et pour l'alimentation, c'est la meilleure adresse d'Oxford. Prenez ce que vous voulez pour le pique-nique. Je n'aime pas les rollmops, mais à part ça je suis omnivore.

— Je m'en souviendrai, répliqua-t-elle en souriant.

— J'espère que vous garderez bien d'autres souvenirs, dit-il d'un ton pince-sans-rire. Je vous retrouve devant la rotonde de Radcliffe Camera à midi.

Il l'embrassa sur la joue avec le plus grand naturel. Comme s'ils formaient un couple, songea-t-elle, le cœur battant. Puis il s'éloigna en sifflotant, son porte-documents sous le bras.

Les jambes tremblantes, Pepper s'efforça de se remettre de ses émotions. Comme s'ils formaient un couple... En fait, elle avait presque l'impression que c'était déjà le cas.

Mais peut-être était-ce dû à son manque d'expérience ? Steven éprouvait-il la même sensation ou bien avait-il l'habitude de faire la bise à toutes les femmes à qui il faisait visiter Oxford ?

Malheureusement, la seconde hypothèse était la plus plausible. Il fallait absolument qu'elle s'efforce de garder les pieds sur terre...

Après avoir visité les locaux qu'elle avait sélectionnés pour sa future boutique, elle se hâta de retourner au marché. Comme une enfant se préparant à aller à sa première fête, elle ne tenait pas en place.

Steven avait raison. Les aliments proposés étaient de premier choix. Elle acheta du pain croustillant encore chaud et des amuse-bouches très appétissants, assaisonnés d'herbes et d'huile d'olive. Puis elle choisit un gros morceau de fromage local que le vendeur lui fit goûter et qui lui laissa un arrière-goût délicieux de noisettes. Elle prit également du raisin, des tomates et un grand sac de cerises. Ça promettait d'être un pique-nique somptueux !

Tout à coup, elle se figea. Elle n'était pas habillée pour la circonstance... Son tailleur strict était tout à fait inadapté à une promenade en barque. Surtout si le flirt était compris dans le programme, songea-t-elle, tout émoustillée.

Heureusement, on trouvait de tout sur ce marché. Il suffisait d'acheter une tenue plus appropriée. Il ne lui fallut pas longtemps pour choisir une jupe ample à mi-mollet turquoise, un débardeur blanc à fines bretelles incrusté de paillettes argentées, ainsi qu'une paire de sandales de cuir blanc. Le tout coûtait moins cher que n'importe lequel des chemisiers qu'elle portait d'habitude, constata-t-elle avec satisfaction.

Toute joyeuse, elle s'engouffra dans les toilettes pour dames et se changea en un clin d'œil. Puis elle plia son chemisier et son tailleur et les rangea dans le sac ayant contenu ses emplettes. Se regardant dans le miroir, elle poussa un soupir d'aise. Pour une fois, elle avait à peu près la même allure qu'Izzy. Certes, elle n'était pas aussi mince que sa cousine, mais il y avait entre elles un air de famille. Et pas seulement à cause de leur crinière flamboyante...

D'ailleurs elle allait exceptionnellement s'offrir une « pause miroir » comme disait Izzy.

Jamais elle n'avait paru aussi resplendissante, constata-t-elle avec un plaisir mêlé d'étonnement. Ses yeux émeraude, étincelants, paraissaient plus grands qu'à l'accoutumée. Quant à ses lèvres, elles n'avaient jamais été aussi pulpeuses. Oh oui, ce matin elle donnait l'impression d'appartenir au même monde que ses cousines. Celui des femmes prêtes à déployer tout leur charme pour séduire l'homme de leurs rêves !

Mais soudain, son sourire triomphant s'évanouit.

Encore faudrait-il qu'elle ait une idée de la manière dont on déployait tout son charme... Lors de ses précédentes aventures, elle n'avait jamais eu à se poser de questions. Dans le milieu d'où elle venait, c'étaient les hommes qui contrôlaient la situation. Il n'était pas question de prendre la moindre initiative sous peine de les vexer.

Aujourd'hui, en revanche, elle se trouvait en territoire inconnu. Que ferait Izzy à sa place ? Il y avait déjà au moins une réponse évidente, se dit-elle après avoir réfléchi un moment. Et un dernier achat à effectuer...

Pour la suite, elle se laisserait porter par les événements, décida-t-elle quelques instants plus tard en rangeant au fond de son sac une boîte de préservatifs.

Très satisfaite d'elle-même, elle se dirigea d'un pas alerte vers la rotonde, devant laquelle Steven lui avait donné rendez-vous.

Il se révéla très habile dans le maniement des rames. Autour du hangar à bateaux, le fleuve était encombré de barques qui allaient et venaient dans tous les sens. Les collisions étaient fréquentes, mais Steven se fraya avec dextérité un passage au milieu de la cohue et s'en éloigna rapidement.

Etendue sur des coussins, Pepper le regardait ramer avec admiration. Pour être aussi musclé, il devait s'exercer régulièrement...

— Faites-vous beaucoup de sport ?

— En voilà une question flatteuse..., répliqua-t-il avec un sourire malicieux.

— C'est une question très sérieuse !

— Je cours presque tous les matins et je fais du judo une fois par semaine. J'ai longtemps été membre du Budokwai.

— Le Budokwai ? Qu'est-ce que c'est ?

— Le premier club de judo Européen. Il a été créé à Londres en 1918. Le judo est excellent pour acquérir un bon équilibre physique et moral.

— Je croyais que c'était un sport de combat.

— C'est un art martial dont l'objectif est de savoir gérer les forces en présence. Il faut apprendre à retourner la force de son adversaire contre lui.

Mais Pepper ne l'écoutait plus vraiment. Il y avait une lueur étrange dans ses yeux, se dit-elle. Son regard était comme une caresse...

Elle s'étira voluptueusement sans cesser de l'observer. En le voyant ciller, elle fut transportée de joie. Pas de doute ! Il était troublé...

Quelques minutes plus tard, il se rapprocha de la berge et fit glisser la barque sous le feuillage frémissant d'un saule pleureur auquel il l'amarra.

Abrités du soleil par le rideau de feuilles, ils pouvaient apercevoir les barques qui glissaient sans bruit sur l'eau miroitante. Seul un léger clapotis troublait le silence. Dans la chaleur de l'après-midi, même les oiseaux se taisaient.

Steven s'allongea à côté de Pepper.

Elle se raidit. Le moment de vérité était arrivé ! Allait-il tenter de flirter avec elle ? Tout à l'heure, elle se croyait prête, mais à présent elle n'était plus très sûre de savoir ce qu'elle voulait. Si seulement elle avait pesé cinq kilos de moins... Si seulement elle avait eu l'assurance de ses cousines...

Elle retint son souffle jusqu'à en suffoquer, mais Steven se contenta de croiser les mains derrière la nuque, allongé sur le dos.

— Si j'étais vous, je ne tarderais plus trop longtemps à respirer, dit-il sans se tourner vers elle. Sinon vous allez vous évanouir. Et dans ce cas, vous ne savez pas de quoi je pourrais être capable.

Pepper se redressa vivement et le fusilla du regard.

— Que dites-vous ?

Toujours sans la regarder, il déclara d'un air détaché :

— Il vous suffit de dire non, vous savez.

Pepper crispa la mâchoire.

— De quoi parlez-vous ?

— Vous le savez parfaitement, mais n'êtes pas encore décidée.

Tournant enfin la tête vers elle, il la regarda longuement.

— Je suis capable de supporter l'incertitude, cependant je préférerais que vous vous détendiez. Je n'ai pas l'intention de vous sauter dessus contre votre gré.

Pepper fut mortifiée. Il devait la prendre pour une oie blanche !

Au bout d'un moment, elle demanda d'une voix étranglée :

— Suis-je si transparente ?

— Ne vous inquiétez pas, je suis beaucoup moins sûr de moi que je n'en ai l'air, confia-t-il d'une voix douce. Cependant, il serait dommage de ne pas savourer cette journée magnifique, vous ne croyez pas ?

Gauchement, elle s'étendit de nouveau. Au bout d'un moment, Steven n'ayant pas esquissé un seul geste, elle finit par se laisser aller. Le soleil semblait ruisseler en fines gouttelettes à travers les feuilles du saule. Elle ferma les yeux, éblouie, et peu à peu sa respiration s'apaisa.

— Parfait, entendit-elle Steven murmurer d'un ton approbateur.

Les yeux toujours fermés, elle sentit qu'il lui prenait la main et la serrait doucement. Son esprit et son corps se détendirent et son cœur commença à s'ouvrir. Au soleil. A la douceur de l'air. Au bruissement des feuilles. A cet homme qui venait de lui avouer qu'il avait lui aussi le trac. Il lui avait promis de ne pas se jeter sur elle sans son consentement. Peut-être était-il temps qu'elle se décide ?

— Steven, dit-elle dans un souffle.

— Oui ?

— Prends-moi dans tes bras.

Le temps parut s'arrêter. Une petite partie de Pepper se demandait avec horreur comment elle avait pu dire une chose pareille. Mais tout le reste de son être attendait, tout frémissant d'impatience, que Steven se penche sur elle.

Il effleura ses lèvres, presque imperceptiblement. L'instant d'après, leurs bouches se mêlaient avec une infinie douceur qui se mua peu à peu en ferveur brûlante. Envahie par des sensations exquises, Pepper s'alanguit contre Steven, répondant à son baiser avec une ardeur qu'elle ne se connaissait pas.

Jamais aucun homme n'avait éveillé en elle un tel désir, songea-t-elle confusément, tandis qu'il approfondissait encore son baiser tout la couvrant de caresses.

Ondulant sous ses mains expertes, elle s'entendit soudain crier tandis qu'un plaisir d'une intensité inouïe la transperçait de part en part. Enfouissant son visage dans le creux de son épaule, elle s'agrippa à lui. Longtemps après que les spasmes qui la secouaient se furent calmés, le plaisir persista. Un plaisir qui irradiait dans chaque parcelle de son corps.

S'écartant de Steven, elle s'étira avec volupté.

— Tu n'es pas seulement un grand sportif, plaisanta-t-elle. Tu maîtrises parfaitement l'art du flirt !

— Merci, murmura-t-il d'une voix traînante.

— Tu t'exerces souvent ?

Il resserra son étreinte.

— Pas assez. Je crois que je vais reprendre l'entraînement.

Popper scruta son visage. Il semblait très ému et ses traits exprimaient une joie profonde. Cependant, il n'était sûrement pas aussi bouleversé qu'elle par ce baiser. Si elle voulait se montrer à la hauteur, elle avait encore beaucoup de progrès à faire...

S'efforçant de reprendre ses esprits, elle s'assit.

— Et ce pique-nique ? lança-t-elle d'un ton enjoué. Mon amour-propre va souffrir si nous ne mangeons pas toutes les bonnes choses que j'ai achetées.

Il ne protesta pas. Il n'essaya pas non plus de la reprendre dans ses bras. De toute évidence, elle avait raison, se dit-elle aussitôt. Ce baiser ne l'avait pas enflammé...

— Il y a aussi du champagne, annonça-t-il en sortant de son porte-documents un sac isotherme.

— Que célébrons-nous ?

Les yeux de Steven pétillèrent de malice.

— Rien de spécial. C'est purement pratique. Je n'ai pas de tire-bouchon.

Elle n'insista pas et sortit les victuailles, sur lesquelles il s'extasia.

Tout en veillant à ce que son verre ne reste jamais vide, il lui posa mille questions sur son enfance, ses goûts, ses relations. Jamais elle ne s'était livrée aussi librement à quelqu'un, songea-t-elle au bout d'un moment. Il parvenait à lui faire dire des choses qu'elle n'avait jamais confiées à personne — pas même à ses cousines.

— Où en est la querelle de famille ? demanda-t-il soudain.

— Pardon ?

— La première fois que nous nous sommes rencontrés, tu m'as parlé d'une querelle de famille à laquelle tu voulais mettre fin.

— Tu t'en souviens ? s'exclama-t-elle, stupéfaite.

— Le moindre détail de cette rencontre est resté gravé dans ma mémoire, répliqua-t-il en levant son verre. Je t'ai trouvée si... fantastique.

Il plongea son regard dans le sien. De toute évidence, il était sincère, comprit-elle, le souffle coupé par l'éclat qui brillait dans ses yeux. Peut-être ce baiser l'avait-il transporté, finalement...

Il se pencha vers elle.

Elle fut si troublée qu'elle tressaillit et bougea légèrement la tête. Ce mouvement de recul fut infime, mais Steven se figea. Il n'aurait sans doute pas eu l'air plus atterré si elle l'avait giflé, se dit-elle, consternée.

Il y eut un silence. Quelle idiote ! Quelle triple idiote ! se morigéna Pepper intérieurement. Mais elle fut incapable de prononcer la moindre parole.

A son grand soulagement, Steven sembla se détendre.

— Alors, cette querelle de famille ? Où en est-elle ? demanda-t-il de nouveau d'un ton qui se voulait enjoué.

— Elle est terminée. La paix a été signée. D'ailleurs j'habite avec mes cousines.

Un large sourire étira ses lèvres à cette nouvelle.

— Elles sont fantastiques, précisa Pepper. Parfois, leur façon de vivre me déroute un peu, mais je les adore. Et j'apprends beaucoup de choses avec elle.

Steven lui resservit du champagne.

— Quel genre de choses ?

— Des trucs de filles dont je ne soupçonnais même pas l'existence.

Il arqua les sourcils.

— Par exemple, je n'avais jamais papoté pendant des heures avec des copines, poursuivit-elle. Pour prendre la parole devant un conseil d'administration et élaborer des stratégies commerciales redoutables, j'ai toujours été très forte. En revanche, je ne connaissais rien aux stratagèmes utiles pour attirer les S.E.M.

— Les S.E.M. ?

— Les spécimens d'une espèce menacée. Autrement dit les hommes à la fois séduisants, intelligents, célibataires, hétérosexuels et solvables.

Une lueur malicieuse s'alluma dans les yeux de Steven.

— Je vois. Mais à présent tu peux laisser tomber les stratagèmes et arrêter les recherches.

Pepper sentit les battements de son cœur s'accélérer.

— Que veux-tu dire ?

Il lui prit la main. Ses doigts étaient brûlants, constata-t-elle en frissonnant. Et ses yeux noirs brillaient d'un éclat presque inquiétant. Etait-ce un effet de son imagination ou sentait-elle vraiment son pouls battre au même rythme que le sien ?

— Sans me vanter, je crois pouvoir me ranger dans la catégorie des S.E.M. Le seul point épineux est celui de ma solvabilité, déclara-t-il d'un air provocant. Il faudrait que tu m'accompagnes chez moi pour que je puisse te montrer mes comptes.

Pepper déglutit péniblement. C'était le genre de phrase à double sens que ses cousines adoraient. En principe, on était censé répliquer du tac au tac. Le problème, c'était qu'aucune repartie spirituelle ne lui venait à l'esprit... Décidément, elle avait encore beaucoup à apprendre, se dit-elle avec désespoir.

Heureusement, Steven ne semblait pas lui en tenir rigueur. Il semblait même très ému. Il lui caressa la joue avec une tendresse infinie.

— C'est le moment de te faire la lecture, peut-être ?

Pepper sentit ses joues s'enflammer. Allait-il lui lire des poèmes d'un érotisme brûlant ? Mais le livre qu'il sortit de son porte-documents portait un titre qui lui était très familier.

— *Le Vent dans les Saules* ? s'exclama-t-elle, incrédule.

— Ne t'ai-je pas dit que tout ce qui te concernait était gravé dans ma mémoire ? Il m'a semblé que c'était le livre idéal pour cet après-midi idéal.

Tout ce qui la concernait était gravé dans sa mémoire, se répéta-t-elle, le cœur en fête. De toute évidence, il était sincère. Jamais elle n'avait éprouvé un tel bonheur ! Il avait raison, c'était vraiment un après-midi idéal...

Quand il eut terminé sa lecture, ils discutèrent encore un bon moment. Puis ils restèrent allongés côte à côte, à regarder en silence les reflets du soleil sur l'eau. Les ombres s'étirèrent peu à peu et les oiseaux se réveillèrent. Une légère brise se leva. Dans son corsage léger, Pepper frissonna. Quel dommage ! Bientôt, il faudrait quitter l'abri du saule. Si seulement le temps pouvait s'arrêter ! Cet après-midi de rêve devrait durer toujours...

— Il faut y aller, dit Steven comme en écho.

Le cœur de Pepper se serra douloureusement. « Non ! Pas encore ! » eut-elle envie de crier. Mais elle resta silencieuse.

Steven ne bougea pas. Comme si lui non plus n'avait pas envie de se risquer hors de leur cachette enchantée.

Sans la regarder, il demanda :

— Veux-tu revenir avec moi pour visiter le collège ?

Cette proposition l'enchanta.

— D'accord.

Quelle heure pouvait-il être ? Elle n'en avait pas la moindre idée. A quelle heure était le dernier train pour Londres ? Elle l'ignorait également. Certes, elle avait pris un billet de retour pour le jour même, mais mieux valait éviter de rompre le charme de cette journée parfaite.

Et puis, elle n'imaginait pas se séparer de Steven... C'était la première fois de sa vie qu'elle se sentait aussi bien avec quelqu'un. D'ordinaire, quand elle s'accordait un moment de détente, il ne fallait pas longtemps avant que son travail lui manque. Elle avait toujours l'impression que sa vraie vie la réclamait. Aujourd'hui au contraire, il lui semblait que sa vraie vie se trouvait auprès de Steven.

Ils regagnèrent le hangar à bateaux, devant lequel la foule était encore plus dense qu'en début d'après-midi.

— Nous pouvons dîner ici, si tu veux, proposa Steven en indiquant des tables sous les arbres. Ou prendre un verre.

Pepper secoua la tête.

— Je n'ai envie de rien.

Pas de nourriture ni de boisson, en tout cas...

Elle ramassa les restes du pique-nique et le sac contenant son tailleur, tandis qu'il manœuvrait pour accoster. Après avoir sauté hors de la barque, il lui tendit la main pour l'aider à descendre.

— Attention, ironisa-t-elle en posant un pied hésitant sur la berge. Il ne faudrait pas que je te fasse tomber à l'eau. Non seulement j'ai un problème de poids mais je suis empotée.

Il la regarda en fronçant les sourcils, mais au moment où il allait répliquer un homme vint récupérer les coussins de leur bateau.

Quand il l'eut payé, il se tourna vers elle.

— As-tu envie de rentrer à pied ou préfères-tu que j'appelle un taxi ? A moins que nous coupions la poire en deux et que nous fassions une partie du trajet en bus.

— Rentrons à pied. Un peu d'exercice ne peut pas me faire de mal, ajouta-t-elle avec un sourire de dérision.

Steven s'immobilisa.

— Veux-tu bien arrêter de dire des sottises ? s'exclama-t-il avec une irritation manifeste. J'irai à pied jusqu'au pôle Nord avec toi si tu en as envie mais par pitié, cesse de te dénigrer ainsi. C'est ridicule !

Stupéfaite, elle le fixa un instant sans rien dire.

— Très bien, je me tais, finit-elle par dire d'une voix crispée.

— Pepper..., commença-t-il d'une voix câline. Oh, mais tu as froid. Tu frissonnes. Il n'est pas question de rentrer à pied !

Après lui avoir posé sa veste sur les épaules, il sortit son téléphone portable pour appeler un taxi.

*
* *

Devant le pavillon du gardien, nombreux étaient les étudiants qui discutaient joyeusement sous les derniers rayons du soleil. Etait-ce un effet de son imagination ou bien avaient-ils tous réellement les yeux rivés sur elle ? se demanda Pepper, embarrassée.

A moins que ça ne soit à cause de sa jupe turquoise et de son petit haut à paillettes. D'autant plus qu'elle devait être passablement décoiffée... N'était-ce pas une tenue un peu trop décontractée pour un endroit aussi prestigieux ? En réalité, elle ne s'était jamais sentie aussi jeune et désinvolte. C'était une sensation très agréable, à vrai dire... même si elle n'était pas complètement à l'aise.

— Je dois avoir une de ces allures ! Je ne te fais pas honneur, monsieur le principal, murmura-t-elle.

— Au contraire. Si tu savais à quel point tu améliores mon image !

Il l'entraîna dans la cour principale, bordée de magnifiques bâtiments médiévaux. S'inclinant profondément devant elle, il déclara d'un ton solennel :

— Bienvenue au collège Queen Margaret's de l'université d'Oxford.

Pepper promena autour d'elle un regard impressionné. Certes, elle avait étudié dans certaines des écoles les plus prestigieuses du monde, mais aucune ne pouvait rivaliser avec Queen Margaret's en termes de splendeur architecturale. Cela lui donnait l'impression d'être encore plus déplacée dans sa tenue décontractée... Steven, en revanche, était en parfaite harmonie avec le décor.

— C'est fabuleux, murmura-t-elle. Jusqu'à aujourd'hui, je n'avais pu admirer de telles merveilles qu'en photo.

— Ce qui ne se voit pas, du moins pas d'ici, ce sont les fuites dans la toiture, commenta Steven d'un air sombre.

— Tu plaisantes ?

— Pas du tout. Il faudrait entreprendre d'urgence des réparations importantes, mais je ne sais pas encore où je vais trouver les crédits.

Aussitôt, l'instinct professionnel de Pepper se réveilla.

— Le collège ne reçoit pas de dons ?

— Pas assez.

Il adressa une grimace à une gargouille, puis ajouta après une brève hésitation :

— En fait, c'est avant tout pour redresser la situation financière du collège que j'ai été choisi comme principal. Je n'ai pas le profil type pour ce genre de poste.

Pepper le regarda. Même sans veste et sans cravate, il avait une distinction et une autorité naturelles qui feraient passer pour des gamins tous les hommes d'affaires de sa connaissance.

— Je ne sais pas quel est le profil type, mais pour ma part je trouve que tu as une allure impériale.

Il éclata de rire.

— Merci, mais l'allure ne suffit pas.

— Explique-moi quel est le profil type.

— C'est un sujet trop ennuyeux pour une journée aussi parfaite. Laisse-moi plutôt t'offrir une bière à la cafétéria. C'est un privilège que n'aurait pas un touriste ordinaire. Viens, nous allons passer par la chapelle.

— J'aimerais quand même savoir comment un collège aussi prestigieux peut avoir des difficultés financières, insista-t-elle en le suivant.

Steven eut un petit rire désabusé.

— Il a été créé par une femme dont l'unique motivation était de prouver qu'elle attachait autant d'importance à l'éducation que son mari.

Leurs pas résonnaient sur les dalles de la chapelle. Celle-ci était plus petite et moins belle que s'y attendait Pepper. Elle en fit la remarque.

— C'est parce que l'intérêt de la reine Margaret pour le collège s'est rapidement émoussé. Elle n'a tenu qu'en partie ses promesses de financement. D'où une certaine hétérogénéité architecturale... Suis-moi, il faut ensuite passer par la bibliothèque.

Ils ressortirent dans la douceur de la soirée estivale.

— Mais depuis tout ce temps... ?

— En réalité, Queen Margaret's n'a jamais été un collège prestigieux, expliqua Steven. Il n'a donc jamais attiré l'argent. Tout au long du XVIIIe siècle, alors que les anciens élèves des autres collèges de l'université d'Oxford faisaient fortune, Queen Margaret's ne formait que des ecclésiastiques.

— Et depuis ?

— C'est encore pire. Actuellement, tous les collèges d'Oxford sont à la recherche de fonds et Queen Margaret's est le plus mal placé pour en trouver. Parmi les anciens élèves on ne compte aucun premier ministre, aucun capitaine d'industrie, aucune pop star...

Devant la moue désabusée de Steven, Pepper sentit son cœur se serrer. Elle le prit par le bras.

— Nous devrions peut-être en discuter. Je ne me suis jamais vraiment occupé de collecte de fonds, mais c'est un sujet que j'ai abordé à l'école de commerce. Et figure-toi que je suis championne pour résoudre les problèmes.

Il lui pressa la main.

— Dans ce cas, il faut en effet que nous en discutions.

Il lui fit traverser la bibliothèque, dont les rayonnages débordaient de livres poussiéreux.

— Il faudrait l'agrandir et refaire toute l'installation électrique, commenta Steven. Mais la cafétéria va te plaire, tu vas voir.

Celle-ci était installée dans une cave voûtée au sol recouvert de parquet. Il y régnait une atmosphère chaleureuse.

— Bonjour, Steve ! lança celui qui tenait le bar.

Il fit claquer sa paume contre celle de Steven et appela un groupe d'étudiants qui se trouvait au fond de la salle.

— Francis, Geoff ! Voilà Steve !

Les jeunes gens levèrent la tête. Manifestement, ils n'étaient pas surpris de la présence de leur principal, constata Pepper. Quant à elle, elle ne semblait pas particulièrement exciter leur curiosité. Le petit groupe, qui était en train de jouer aux fléchettes, invita Steven à disputer une partie.

— Votre invitée également, bien sûr.

— Mlle Calhoun, précisa Steven.

Puis il se tourna vers elle.

— Tu sais jouer aux fléchettes ?

— J'ai eu un arc et des flèches quand j'étais petite, répondit-elle avec circonspection.

— Ça n'a pas grand-chose à voir, mais tu devrais t'en sortir. Deux contre deux, d'accord, Geoff ? Les enjeux habituels.

Pepper s'appliqua consciencieusement, mais ses efforts ne furent pas souvent couronnés de succès.

— Les étudiants t'apprécient beaucoup, apparemment, murmura-t-elle en s'asseyant à côté de Steven après trois échecs successifs.

— C'est parce que je perds tout le temps, répliqua-t-il, les yeux pétillants de malice. Même quand tu n'es pas là pour faire baisser mon score.

— Je suis sûre que tu le fais exprès !

— Comment as-tu deviné ? C'est un moyen de leur payer une tournée sans qu'ils se sentent gênés.

Pepper arqua les sourcils d'un air perplexe.

— J'ai été étudiant ici, expliqua-t-il. Je me souviens qu'à cette époque je devais souvent choisir entre une bière ou un livre de poche... Et puis, j'aime cet endroit. Je m'y sens mieux que dans la salle des professeurs.

— Que reproches-tu à la salle des professeurs ?

— Il faudrait plutôt demander aux professeurs ce qu'ils me reprochent. Certains n'apprécient pas que je me « compromette » dans le privé, comme ils disent. Mon statut de président de K-plant ne plaît pas à tout le monde. A Oxford, un principal de collège se doit d'être un universitaire bon teint. Par ailleurs, le doyen garde quelques mauvais souvenirs de mon passage ici en tant qu'étudiant. Comme un certain feu d'artifice tiré depuis la tour, par exemple.

Les étudiants l'appelèrent et il retourna jouer.

Pepper l'observa attentivement. Il prenait tout son temps et se concentrait un long moment avant de lancer les fléchettes. De toute évidence, Steven était un perfectionniste qui se donnait à fond dans toutes ses activités. Les fléchettes. La direction du collège. La présidence de K-plant. Le flirt.

L'amour ?

A cette idée, un long frisson la parcourut.

Il obtint un score suffisamment élevé pour être honorable, tout en restant assez bas pour lui faire perdre la partie.

— En fait, tu es un champion, n'est-ce pas ? demanda-t-elle quand il revint s'asseoir à côté d'elle.

Il plongea son regard dans le sien et répondit d'un air innocent :

— C'est aux fléchettes que tu fais allusion ?

Pepper ne cilla pas.

— Tu essaies de me faire rougir mais tu n'y arriveras pas. Explique-moi plutôt en quoi tu n'es pas un universitaire « bon teint ».

Il haussa les épaules.

— Je ne suis pas un scientifique de génie. K-plant n'est pas à la pointe de la recherche. Ma spécialité, c'est d'établir des liens entre des découvertes appartenant à des domaines très différents, pour en tirer des applications concrètes.

— N'est-ce pas le but de tout chercheur ?

— Non. Les savants ont tendance à accorder plus de prestige à la recherche fondamentale. Quant aux hommes d'affaires, la plupart du temps, ils ne comprennent rien à la science. Moi, je suis une sorte d'hybride. Quant à mon poste de principal, il est temporaire. En fait, j'occupe simultanément de multiples fonctions.

— Je croyais que tu étais chef d'entreprise.

— Je l'ai été pendant quelque temps. A présent, je ne suis plus que président de ma société et encore, à titre honorifique. Du moins jusqu'à ce que j'aie terminé ma mission ici. Mais à l'origine, j'étais chimiste.

Il fit une grimace.

— Désolé. Je t'ennuie, n'est-ce pas ?

— Pas du tout.

Seigneur ! S'il savait ! Elle était sur des charbons ardents. Son envie de le toucher était telle que, par moments, elle devait avoir l'air bizarre.

— Ce n'est pas la peine de chercher à me ménager, dit-il en souriant. Je ne me fais aucune illusion. J'ai toujours été assommant. A l'époque où j'ai commencé mes recherches sur les aliments de synthèse, il m'arrivait souvent de passer tout un repas à développer mes théories sans même m'apercevoir que mon assiette restait pleine. Ça avait le don d'exaspérer Courtney.

Le cœur de Pepper fit un bond douloureux dans sa poitrine. Qui était Courtney ?

Mieux valait ne pas poser la question. Elle n'en avait pas le droit...

— C'est ta vocation depuis toujours ? demanda-t-elle pour éviter de poser la question qui lui brûlait les lèvres.

— La chimie ?

Il réfléchit un instant.

— Pas exactement. Quand j'étais adolescent, je voulais aller sur la lune. Ou sauver le monde. En toute simplicité...

— Comment en es-tu arrivé à faire de la recherche sur les aliments de synthèse ?

— Au lycée, j'ai toujours aimé la chimie. J'adorais déclencher des explosions. C'était mon grand plaisir et en plus, ça me valorisait.

— Que veux-tu dire ? demanda Pepper, intriguée.

— J'aimais beaucoup l'école, mais j'habitais un quartier défavorisé où tous les garçons de mon âge préféraient jouer au football ou traîner dans le centre-ville. Leur passe-temps favori était de voler des pièces détachées sur les voitures. J'étais un enfant à part, très différent des autres. Par ailleurs, ma mère étant morte à ma naissance et n'ayant pas de frères et sœurs, je vivais seul avec mon père.

— Tu as dû connaître des moments difficiles.

Il parut surpris.

— Pas tant que ça. Les garçons avec qui j'avais le plus d'affinités vivaient tous dans des quartiers résidentiels. Ils avaient des livres et leurs deux parents. Bien sûr, au début ils se méfiaient de ce voyou qui n'était pas de leur milieu. Seulement j'avais de très bons résultats scolaires, et surtout, j'étais un as pour déclencher des explosions spectaculaires dans de vieilles boîtes de conserve. La nuit des feux d'artifice, Bonfire Night, j'étais un véritable héros. Si bien qu'ils m'ont accepté très rapidement. En fait, à la mort de mon père, les parents de mon ami Tom m'ont pour ainsi dire adopté.

Le visage de Steven s'assombrit.

— C'est à cause de Tom que j'ai choisi Maggie's.

— Maggie's ?

— Le collège Queen Margaret's. Son père y avait fait ses études. Nous avons donc posé notre candidature tous les deux. Et nous avons été admis.

Il promena son regard sur la cafétéria.

— Nous venions souvent ici quand nous avions le même âge que ces jeunes gens.

Ses traits se dirent plus durs.

— Et ces imbéciles de la salle des professeurs pensent que je n'ai aucun respect pour le collège. Je ne suis peut-être pas un universitaire typique, mais l'avenir de Queen Margaret's me tient très à cœur.

— As-tu envie d'être un universitaire respectable ?

Steven haussa les épaules.

— Nous avons tous envie d'être respectés, esquiva-t-il.

Pepper fut étonnée par sa réponse, qui semblait dictée par l'abattement. Comment était-ce possible ? Cela ne lui ressemblait pas du tout. Elle se sentit soudain très irritée contre le doyen et tous les universitaires à la mentalité étriquée.

— Si tu as besoin d'une spécialiste en résolution de problèmes, tu peux compter sur moi, déclara-t-elle avec feu.

— Ma chérie, murmura-t-il.

Sa voix était chargée d'une telle tendresse qu'elle en fut bouleversée.

Il porta sa main à ses lèvres et l'embrassa.

Pepper sentit son cœur s'affoler. Ils restèrent un long moment silencieux, les yeux dans les yeux.

— Je ferais mieux d'aller commander cette tournée, finit par dire Steven.

Il se leva et ne lâcha sa main qu'au tout dernier moment, à contrecœur.

— Attends-moi. Après, je t'emmènerai visiter le jardin.

7.

En cette fin d'après-midi, le jardin était envahi par un enchevêtrement de roses qui embaumaient l'air de leurs effluves capiteux.

— Quel endroit fantastique ! s'exclama Pepper en respirant à pleins poumons.

Steven la serra contre lui.

— C'est une des conséquences des restrictions budgétaires. Nous n'avons droit qu'à un jardinier à mi-temps. Comme la pelouse de la cour principale réclame toute son attention, les roses sont livrées à elles-mêmes.

— Elles s'en sortent magnifiquement, commenta Pepper avec enthousiasme.

Se penchant sur une énorme rose pompon, elle huma son parfum avec délectation.

— Tu as des goûts simples, n'est-ce pas ? commenta Steven, visiblement touché.

— J'ai le goût délicat et très fin, corrigea-t-elle en prenant un air offensé.

Il resserra son étreinte autour de sa taille et ils déambulèrent dans les allées envahies d'herbes jusqu'à ce que l'obscurité soit totale. Pas un seul nuage n'obscurcissait le ciel, et un fin croissant de lune se découpait sur le ciel saupoudré d'étoiles.

— Quel calme ! murmura Pepper en renversant la tête au creux de l'épaule de Steven. On se croirait seuls au monde. Est-ce pour ne pas nous déranger que les étudiants ne viennent pas ?

— Ce jardin est réservé au principal. Personne ne peut venir sans y être invité.

— C'est un honneur pour moi d'avoir ce privilège, commenta-t-elle d'une voix alanguie.

La nuit, le parfum des roses et ses propres fantasmes l'emplissaient d'une douce euphorie.

— Après le jardin du principal, que dirais-tu de visiter son appartement ? s'enquit Steven d'un ton faussement mondain.

Elle réprima un frisson.

— Je croyais l'avoir déjà vu ce matin.

— Heureusement pour moi, il ne se limite pas à un escalier en spirale et à une cuisine biscornue !

La gorge soudain nouée, Pepper resta silencieuse.

— As-tu envie de visiter les autres pièces ? murmura Steven à son oreille.

Le cœur de Pepper s'affola dans sa poitrine.

« Oui... Non ! Je ne sais pas. »

— Oui, dit-elle si fort qu'ils tressaillirent tous les deux.

Steven l'entraîna vers la porte de la tour et s'effaça devant elle.

— Bienvenue chez M. le principal, dit-il d'un ton solennel.

Elle le précéda dans l'escalier. Après avoir traversé la cuisine, ils arrivèrent dans un salon au sol dallé et aux murs de pierre presque entièrement masqués par des étagères en chêne débordant de livres.

Le cœur de Pepper battait de plus en plus vite. Il ne manquait plus que des chandeliers et un feu de cheminée. Allait-elle se montrer à la hauteur ?

— J'ai l'impression de détonner dans ce décor, déclara-t-elle d'un ton beaucoup plus agressif qu'elle ne l'aurait voulu.

Le son de sa voix la fit tressaillir. Seigneur ! Ça sonnait comme une déclaration de guerre...

A son grand soulagement, Steven ne sembla pas s'en offenser.

— Voilà que tu recommences à dire des inepties, ma chérie, murmura-t-il en lui effleurant la joue du bout des doigts. Tu es au contraire le spectacle le plus délicieux qu'aient eu à contempler ces vieux murs depuis longtemps.

— Délicieux ?

— Délicieux. Exquis. Divin...

— Avec mon débardeur froissé et mes cheveux emmêlés ?

Steven éclata de rire. Il saisit délicatement quelque chose sur sa tête et le lui montra.

— Un pétale de rose ?

— Très romantique... Et il s'harmonise admirablement bien avec le pollen que tu as sur le nez.

Pepper tressaillit.

— Ce n'est pas vrai !

— Regarde.

Dans une petite niche dans le mur, elle vit un miroir ovale dans un cadre doré tarabiscoté. Visiblement ancien, il était tacheté de mercure, mais cela ne l'empêchait pas de lui renvoyer l'image d'une jeune femme ébouriffée, à la chevelure parsemée de feuilles et de brindilles.

Difficile d'ignorer qu'elle avait passé la journée dans la nature ! se dit-elle en se frottant le nez.

— Je suis dans un état lamentable ! gémit-elle.

— Tu es magnifique, objecta Steven d'une voix rauque.

Elle croisa son regard dans le miroir et fut envahie par une chaleur intense. Non seulement il était sinçère mais il brûlait manifestement de désir pour elle... Pour la première fois de sa vie, elle n'avait aucun doute à ce sujet.

Il posa une main hésitante sur son épaule.

Electrisée, elle retint son souffle, sans pouvoir détacher ses yeux des siens dans le miroir.

Oui, c'était flagrant. Il la désirait autant qu'elle le désirait... Ils venaient d'atteindre le point de non-retour. Curieusement, elle était à la fois anxieuse et sereine.

— J'aimerais que tu restes, murmura Steven.

— Je sais.

C'était étrange. Jamais elle ne s'était sentie aussi calme et aussi nerveuse à la fois, songea-t-elle avec étonnement... Elle venait d'entrer dans une autre dimension. Quoi qu'il arrive désormais, plus rien ne serait jamais comme avant.

Steven rompit le silence. Sa voix était chaude, caressante. Hésitante, aussi.

— Je sais que nous n'avons pas passé beaucoup de temps ensemble. Tout ce que je peux te dire, c'est que j'ai l'impression de te connaître depuis toujours.

Retenant son souffle, elle se tourna vers lui.

— Acceptes-tu de rester ? demanda-t-il, visiblement anxieux.

— Oui.

Il la prit par la main et l'entraîna dans l'escalier en spirale vers l'étage supérieur.

Toujours aussi déterminée, elle était cependant en proie à un tumulte intérieur. Bien sûr, elle voulait faire l'amour avec Steven. Jamais elle n'avait autant désiré aucun homme. Tout l'après-midi, à l'abri du saule pleureur, elle avait eu toutes les peines du monde à se retenir de le couvrir de caresses. Mais à présent que le moment était venu, elle était paralysée par le trac.

Et s'il était rebuté par sa maladresse ? Seigneur ! Pourquoi n'avait-elle pas pris le temps de discuter avec Izzy avant de venir ici ? Sa cousine aurait pu lui donner des conseils précieux...

Dès qu'ils furent arrivés en haut des marches, Steven lui prit les deux mains et la regarda d'un air grave.

— Tu es certaine de ne pas regretter ta décision ? Il est toujours temps de changer d'avis, tu sais. Je ne t'en voudrai pas.

Elle scruta son visage. Etait-il aussi intimidé qu'elle, par hasard ? Non, certainement pas. Mais de toute évidence, il était profondément ému. Et dans ses yeux, en plus du désir, elle pouvait lire une tendresse tellement immense qu'elle sentit toutes ses craintes s'évanouir. Sans répondre, elle s'approcha de lui et lui offrit ses lèvres.

Elle ne sut jamais comment ils arrivèrent jusqu'au lit. Leurs corps se fondirent l'un dans l'autre comme s'ils étaient destinés depuis toujours à ne faire qu'un. Dans la nuit devenue moite et brûlante, elle eut la sensation de plonger dans un océan de tendresse et de sensualité. C'était comme si ses sens sortaient d'une longue torpeur et s'éveillaient à la vie sous les caresses et les baisers de Steven.

Tandis qu'il l'emmenait dans un merveilleux voyage vers le plaisir, une passion incontrôlée montait en elle, contre laquelle elle ne pouvait pas lutter. Au moment suprême, leurs regards éperdus se noyèrent l'un dans l'autre, puis une ultime vague les propulsa en même temps au sommet de la volupté.

Longtemps après, lorsqu'elle revint sur terre, comblée et épanouie, elle laissa échapper un petit rire.

— Tu te moques de moi ? Je suis très vexé, murmura-t-il.

Mais il couvrit son ventre de baisers et elle n'en crut pas un mot. Elle lui ébouriffa tendrement les cheveux.

— Je ne me moque pas de toi. Au contraire. Tu es fantastique. Si je ris, c'est de bonheur.

Il leva la tête et la regarda, les yeux étincelants.

— Je préfère ça. Personne ne s'est jamais moqué de Barbe-noire.

Il lui couvrit le visage de baisers avant de s'emparer de sa bouche. Ils s'embarquèrent de nouveau vers les merveilleux rivages qu'ils avaient découverts ensemble. Elle ne s'appartenait plus. Ce n'était plus seulement son corps qu'elle lui offrait, mais son être tout entier. Sa dernière pensée cohérente fut qu'elle ne faisait plus qu'un avec lui, qu'ils étaient faits l'un pour l'autre de toute éternité...

Jamais elle n'avait imaginé qu'il était possible d'éprouver un tel bonheur, songea-t-elle quand elle reprit conscience.

C'était comme une deuxième naissance. Une nouvelle vie venait de commencer pour elle.

Elle se sentait entièrement neuve. Et dans ce silence, elle fit une découverte.

« Je t'aime », dit-elle silencieusement à Steven étendu sur elle.

Elle n'était pas encore prête à formuler un tel aveu à haute voix.

Ils restèrent ainsi, enlacés et silencieux, pendant un long moment. Puis Steven se leva et Pepper émergea peu à peu de sa langueur, se leva à son tour et chercha son débardeur parmi les vêtements éparpillés aux quatre coins de la chambre.

Elle promenait son regard sur la pièce plongée dans la pénombre, quand elle entendit la voix de Steven derrière elle.

— Ce lit ressemble à une épave.

Manifestement, il en était très fier. Elle sentit ses bras l'entourer, et fut parcourue d'un long frisson quand il la plaqua contre lui. Avec volupté, elle se délecta de la chaleur de sa peau, de la force de ses bras autour d'elle. Quand elle sentit son souffle soulever ses cheveux, elle comprit qu'il riait.

Il n'était pas difficile de comprendre pourquoi.

Le lit semblait avoir été dévasté par un ouragan. Les oreillers avaient glissé sur le sol, comme le couvre-lit, roulé en boule. Le drap du dessus était entortillé dans un coin. C'était elle qui l'avait repoussé dans sa hâte à s'unir à lui, se souvint Pepper. A moins que ce ne soit Steven ?

« Je ne sais plus où finit son corps et où commence le mien. » A cette pensée, elle fut parcourue d'un long frisson.

— Tu as froid ? demanda-t-il.

— Non.

— Tout va bien, ma chérie ?

— J'aurais du mal à trouver un mot assez fort pour décrire l'état dans lequel je me trouve.

Il émit un petit rire joyeux.

Alanguie contre lui, elle sentait les battements de son cœur, puissants, réguliers. Rassurants.

« Je suis enfin chez moi », songea-t-elle.

C'était une évidence : sa place était auprès de cet homme. Jamais elle n'avait éprouvé un tel sentiment de plénitude, à la fois apaisant et grisant.

C'était comme si elle venait de poser un lourd fardeau qui l'encombrait depuis toujours, bien qu'elle n'ait jamais vraiment eu conscience de le porter. Elle était libérée ! Emerveillée, elle frissonna de plaisir.

Steven resserra son étreinte.

— Tu as froid. Enveloppe-toi là-dedans pendant que je refais le lit.

Il déposa un peignoir sur ses épaules. Elle s'assit sur un coffre en chêne et le regarda défroisser et border les draps, battre les oreillers, remettre la couverture en place.

— Tu es un vrai homme d'intérieur, plaisanta-t-elle.

— Eh oui ! C'est une de mes nombreuses qualités.

— Je suis très impressionnée.

— J'espère bien !

Quel corps splendide ! se dit-elle, fascinée par le modelé parfait de ses muscles. Pas étonnant que Jemima l'ait trouvé très sexy...

Tout à coup, elle se figea. Combien de femmes l'avaient-elles regardé refaire son lit, assises sur ce coffre, enveloppées dans son peignoir ? Du calme, se fustigea-t-elle aussitôt. Elle n'était pas la première, et alors ? Ça n'enlevait rien à ce qui s'était passé entre eux cette nuit.

Réprimant un frisson, elle resserra autour d'elle les pans du peignoir. Mais si pour elle cette nuit était exceptionnelle, peut-être n'était-elle pour lui qu'une nuit comme les autres ? Agréable ou peut-être même fantastique, mais semblable à toutes les autres nuits passées avec d'autres femmes ? Des femmes sûrement beaucoup plus belles et plus expertes qu'elle...

Elle était à présent envahie par un grand froid intérieur. Pourquoi fallait-il qu'elle redescende si brutalement sur terre ? Elle était si bien sur son petit nuage...

Il ne fallut pas plus d'une minute pour que le lit soit de nouveau impeccable. Et Pepper paralysée par la peur. Quand Steven la prit dans ses bras pour la porter jusqu'au lit, son corps était toujours présent, mais elle avait l'impression que son cœur et son esprit se trouvaient à des années-lumière, aux confins de la galaxie.

Manifestement, Steven ne s'apercevait pas qu'une distance infinie les séparait désormais. Il l'installa confortablement au creux de son bras et, avant de s'endormir, demanda :

— Tout va bien ?

— Oui, très bien. Merci, répondit-elle poliment.

Ce qui était un mensonge éhonté.

Mais il ne s'en aperçut pas non plus.

Il déposa un baiser sur sa tempe, puis s'endormit en quelques secondes. Elle sentit son corps viril s'alourdir contre le sien, tandis que le rythme de sa respiration ralentissait. Enfin son bras se relâcha et glissa.

Elle attendit encore un moment, puis, avec mille précautions, s'écarta de lui. Inutile d'essayer, elle ne fermerait pas l'œil… Il lui avait demandé si tout allait bien. Comment pourrait-elle se sentir bien ? Elle n'était qu'un sac de pommes de terre qui prenait trop de place dans le lit. Jamais auparavant Steven n'avait couché avec un sac de pommes de terre, c'était certain. Or il avait beau être le plus tendre et le plus attentionné des amants, il était forcément conscient de cette triste réalité.

Pepper passa une nuit épouvantable. Les pensées les plus noires se bousculaient dans son esprit.

Elle était la fille qui faisait tapisserie au bal du lycée. Celle qui ne devait ses précédentes relations amoureuses qu'à l'argent de sa grand-mère. L'amour n'était pas pour elle. Son univers, c'était le monde des affaires. Plus vite elle y retournerait, mieux cela vaudrait.

Si elle restait trop longtemps auprès de Steven, elle finirait par croire au conte de fées qu'elle avait déjà commencé à se raconter un peu plus tôt. Or, si elle se laissait aller à imaginer que leur rencontre était aussi exceptionnelle pour lui que pour elle, elle finirait par avoir le cœur brisé et ne s'en remettrait jamais.

A grand-peine, elle refoula les sanglots qui menaçaient de l'étouffer. Pas question de flancher. Si elle pleurait, elle risquait de réveiller Steven, se répétait-elle. Il fallait à tout prix éviter cela.

Au matin, elle avait fait le deuil de ses illusions et tué dans l'œuf tous ses rêves d'amour.

Steven ne se rendit compte de rien. Il s'affaira dans la chambre en bavardant gaiement comme s'ils s'étaient déjà réveillés ensemble des centaines de fois. Tout dans son attitude indiquait que, pour lui, la situation n'avait rien d'extraordinaire.

Si seulement elle avait pu en dire autant ! songea-t-elle, complètement déprimée. L'estomac noué, elle devait faire des efforts surhumains pour afficher une mine à peu près sereine.

— Peux-tu aller me chercher mon tailleur ? demanda-t-elle. Je l'ai laissé en bas dans un sac en plastique.

Steven prit un air dépité.

— Quel dommage ! Ton petit haut à paillettes va me manquer.

Elle se força à sourire. Steven avait la même allure que dans l'avion lors de leur première rencontre, se dit-elle, le cœur serré. Les cheveux en bataille, il avait le visage mangé par une barbe noire. Il émanait de lui une virilité à couper le souffle. Pas de doute, il était beaucoup trop bien pour elle.

— J'aimerais être habillée convenablement quand ta femme de ménage arrivera, déclara-t-elle.

Oh, Seigneur ! Quelle voix crispée ! Elle devait avoir un de ces airs guindés... Elle s'était livrée corps et âme à cet homme pendant la nuit, et voilà qu'à présent elle lui parlait sur le même ton qu'une vieille dame invitée à une garden-party ! Heureusement, il ne semblait pas conscient de son malaise.

— Désolé, mais je n'ai pas de femme de ménage, répliqua-t-il en riant. Le collège n'a pas les moyens de fournir ce genre de service à son principal.

— Oh ? Alors qui s'occupe de... ?

Quel était le prénom de l'enfant ? se demanda-t-elle. Tout ce qu'elle savait, c'est qu'elle ne s'appelait pas Janice.

Dans les yeux de Steven, la lueur malicieuse s'éteignit brusquement.

— Amaryllis ? Je m'en occupe tout seul.

Il l'observa avec attention.

— Ça te pose un problème ? demanda-t-il, légèrement agressif.

Pepper tressaillit.

— Non, bien sûr que non !

Sans la quitter des yeux, il déclara :

— Elle n'est pas là ce matin, rappelle-toi. Elle a dormi chez une amie. Ne t'inquiète pas, tu ne risques pas de te retrouver nez à nez avec elle en descendant préparer des œufs au bacon.

Il avait parlé d'un ton neutre, dépourvu de toute chaleur. Pepper déglutit péniblement.

— Je... je ne sais pas faire les œufs au bacon, bredouilla-t-elle.

Allons bon ! se dit-elle aussitôt. Elle allait passer pour une enfant gâtée, habituée à se faire servir, à présent ! Pourquoi ne pouvait-elle pas se détendre un peu ? Malheureusement, c'était au-dessus de ses forces.

— Tout ce que je peux faire c'est te préparer des toasts et du café, ajouta-t-elle pour prouver sa bonne volonté.

Le regard de Steven était de moins en moins affectueux, constata-t-elle, le cœur serré.

— J'aurais dû m'en douter, répliqua-t-il avec une pointe de sarcasme. Les jeunes héritières ne font pas la cuisine, n'est-ce pas ?

— Je ne suis plus une héritière ! protesta-t-elle avec indignation.

— Il est facile de l'oublier.

La prenant par les épaules, il plongea son regard dans le sien.

— Que se passe-t-il ? Je me suis endormi auprès d'une jeune femme divine et sensuelle, et voilà que je me réveille en compagnie d'une princesse capricieuse.

Mortifiée, elle se dégagea d'un geste brusque.

— Inutile de t'occuper du tailleur, je vais le chercher moi-même, lança-t-elle avant de quitter la pièce.

Quand il la rejoignit dans la cuisine un moment plus tard, le café était en train de passer. Elle avait enfilé son tailleur et attaché ses cheveux.

— Déjà prête à partir ? demanda-t-il. Merci d'avoir pris le temps de préparer le café.

Pepper s'efforça d'esquisser un sourire crispé.

— Je t'en prie.

Il s'approcha d'elle. Le cœur battant, elle attendit qu'il la touche, prête à oublier ses doutes. Mais il se contenta de l'observer attentivement.

— Qu'y a-t-il, Pepper ?

Pas de doute, elle l'avait déçu, songea-t-elle, la mort dans l'âme. D'ailleurs, il venait de le lui dire. Dire que la nuit dernière, l'espace de quelques heures, elle avait cru pouvoir être à la hauteur...

— Il n'y a rien, répondit-elle en détournant les yeux. Il faut juste que je retourne travailler. J'ai perdu trop de temps, hier.

Elle eut un petit rire artificiel.

— Je ne sais pas ce qui m'a pris, j'ai complètement perdu la tête ! Cette journée était une véritable aberration.

Steven se raidit.

— Je vois.

Aussitôt, elle se maudit intérieurement. Seigneur ! Quelle maladresse ! Il l'avait pris pour lui...

— Tu... tu ne comprends pas, bredouilla-t-elle.

— C'est limpide, au contraire.

— Non, tu te trompes !

Oh, comment lui expliquer ? se demanda-t-elle, en proie à une profonde détresse.

— Je n'ai pas l'habitude de... de coucher avec des inconnus, dit-elle.

Il darda sur elle un regard froid.

— Parce que tu crois que c'est la mienne ?

— Je ne connais pas tes habitudes.

— C'est ça qui te perturbe ?

Il fallait absolument qu'elle essaie de lui expliquer ce qu'elle ressentait, se dit-elle, en proie à la plus profonde confusion.

— Tu n'y es pour rien, assura-t-elle. C'est moi le problème. Je dors seule, d'habitude.

Steven semblait pétrifié. Le visage impassible, le regard éteint, il la fixait sans bouger.

— Ecoute, Steven, essaie de me comprendre, poursuivit-elle, de plus en plus perturbée. Je suis beaucoup plus douée pour les affaires que pour les sentiments. Le travail tient la place la plus importante dans ma vie et je...

Steven leva la main.

— Ne te donne pas la peine de poursuivre. C'est très clair.

— Mais non ! Je veux t'expliquer...

— Inutile, coupa-t-il d'un ton dangereusement posé. Ta priorité, ce sont les affaires. Il n'y a rien à ajouter.

Il prit la miche de pain et visa avec précision la cafetière. Celle-ci explosa contre le mur dans une gerbe de liquide noir et un fracas de verre brisé.

Pepper sursauta sous l'effet du choc.

— Steven !

— Désolé, lâcha-t-il d'un ton qui indiquait nettement le contraire.

Atterrée, Pepper tremblait de tous ses membres. Comment en étaient-ils arrivés là ? La cuisine ressemblait à un champ de bataille. Dire que quelques heures plus tôt, elle croyait avoir atteint le bonheur parfait... Quel gâchis !

Elle voulut parler, mais aucun son ne sortit de sa gorge. De toute façon, elle ne savait absolument pas que dire.

La voix dure de Steven la fit tressaillir.

— Peux-tu me préciser juste une chose ?

Toujours aphone, elle eut un geste d'impuissance.

— Est-ce que tu envoies promener tous tes amants après la première nuit, ou est-ce un traitement de faveur qui m'est réservé ?

Jamais elle n'avait vu un tel mépris dans le regard d'un homme, songea-t-elle, effondrée, tandis qu'une poigne d'acier lui broyait le cœur. Dire qu'elle était la seule responsable de ce terrible malentendu ! Cette pensée l'acheva.

Elle se précipita dans l'escalier et s'enfuit.

8.

Toute la matinée, Steven fut d'une humeur massacrante. Quand Valerie le lui fit remarquer, il eut un sourire contraint.

— Excusez-moi. Je n'ai pas eu le temps de courir, ce matin. Ça me rend nerveux.

Elle accepta ses excuses sans faire de commentaire, mais elle ne fut pas dupe. Il arrivait parfois à Steven Konig d'être obligé de renoncer à son jogging, néanmoins cela ne le mettait jamais dans un tel état. Valerie maudit silencieusement Pepper Calhoun, qu'elle avait entendue dévaler l'escalier en début de matinée.

Tandis qu'il consultait sa boîte aux lettres électronique, Steven sentit son irritation s'accroître. Comme par hasard, ce matin-là, un message sur deux concernait Pepper ! Sa messagerie comportait plusieurs articles de presse sur le Grenier, transmis par Bobby Franks, ainsi que cinq messages provenant de la présidence de Calhoun Carter. Il les supprima avec hargne sans même les lire.

Un peu plus tard, Geoff, l'un des étudiants avec qui il avait joué aux fléchettes la veille, vint le trouver pour discuter avec lui de l'éventualité d'un débat avec

Pepper Calhoun. Réprimant un mouvement d'humeur, Steven lui proposa un café.

— Elle est vraiment très sympathique, déclara Geoff, manifestement conquis. Par ailleurs, on commence à parler d'elle dans la presse britannique. Avez-vous lu les articles sur la boutique qu'elle vient de lancer ? Les commentaires sont très flatteurs. Je suis certain que sa participation au débat de fin de trimestre serait une excellente publicité pour Queen Margaret's. Ça attirerait à coup sûr un public très nombreux. Nous pourrions également inviter quelques journalistes. Pensez-vous qu'elle serait d'accord ?

Aucune chance, songea sombrement Steven.

— Il faudrait le lui demander directement, répliqua-t-il d'un ton neutre.

— D'accord. Et si elle accepte, êtes-vous partant ?

Steven eut un sourire forcé.

— Bien sûr. Tenez-moi au courant de sa réponse.

Depuis le départ précipité de Pepper, il était hanté par ses paroles. « Je suis beaucoup plus douée pour les affaires que pour les sentiments. Le travail tient la place la plus importante dans ma vie. » Et surtout : « Je dors seule, d'habitude. » Bien sûr… C'était une femme ambitieuse, pour qui la réussite passait avant le reste. Il n'y avait pas de place dans sa vie pour un homme et une enfant de neuf ans. Bon sang ! Elle n'avait même pas été capable de se souvenir du prénom d'Amaryllis ! Elle ne valait guère mieux que Courtney…

Dire que dans l'avion il avait été charmé par son naturel et sa douceur… Quelle erreur ! En fait, c'était lors de leur deuxième rencontre qu'elle avait montré son vrai visage. Pepper n'était qu'une arriviste prête à tout pour atteindre ses objectifs. Peu lui importait de blesser son entourage, du moment qu'elle menait sa vie comme elle l'entendait…

Il poussa un profond soupir.

Blesser était le mot juste. Et malheureusement, ce n'était pas seulement une blessure d'amour-propre qu'elle lui avait infligée. Certes, son ego avait souffert de son rejet ; cependant, c'était surtout dans ses sentiments qu'elle l'avait atteint.

Jamais il n'avait ressenti une telle souffrance. Il avait eu l'impression qu'elle lui arrachait le cœur. Bon sang ! Même Courtney, dans ses pires moments, ne l'avait jamais meurtri à ce point…

Dans le train, Pepper ne savait pas comment faire taire la douleur intolérable qui la rongeait. Assise dans un coin du compartiment, elle tentait de refouler ses larmes sans y parvenir.

Comment le rêve qu'elle avait vécu la veille avait-il pu se terminer en cauchemar ? La réponse était évidente : tout simplement parce qu'elle n'était pas à la hauteur. Il était d'ailleurs étonnant qu'un homme aussi séduisant que Steven Konig — que même Jemima trouvait à son goût — ait pu éprouver la moindre attirance pour elle.

Le fait qu'il ait passé la journée en sa compagnie était sûrement motivé par le sentiment de pitié qu'il éprouvait à son égard. D'ailleurs, ne lui avait-il pas avoué le soir du cocktail que s'il avait refusé de signer la cession des droits de rediffusion du débat, c'était pour apaiser sa conscience ? Dire qu'elle l'avait remercié en lui affirmant qu'il mentait mal !

Non, il n'y avait pas de doute. S'il l'avait invitée à dîner ce soir-là, c'était par pitié. Et quand il l'avait vue la veille à l'entrée du collège, il avait dû comprendre à quel point elle avait besoin d'être rassurée. Alors il avait décidé de lui offrir une journée de rêve.

Il fallait reconnaître qu'il avait réussi à la faire rêver. Au point de lui faire oublier que les promenades romantiques et les nuits d'amour passionnées n'étaient pas faites pour elle...

Malheureusement, aujourd'hui, la fête était finie et la réalité avait repris ses droits.

Quand elle arriva à l'appartement, Pepper fut soulagée de n'y trouver personne. Subir le feu des questions enjouées de ses cousines aurait été au-dessus de ses forces...

Elle se glissa sous le jet brûlant de la douche et y resta jusqu'à ce que sa peau devienne écarlate.

« Tu es magnifique » lui avait dit Steven. Comment avait-elle pu être assez naïve pour le croire ?

— Seul le travail peut me sauver, déclara-t-elle à haute voix.

Elle revêtit un tailleur gris sur un corsage d'une blancheur éblouissante et se rendit chez son styliste. Quand elle eut réglé tous les problèmes en suspens avec l'équipe de créateurs, elle se rendit dans une galerie d'art où elle resta des heures à contempler les tableaux.

Quand elle se décida à en sortir, la lumière éblouissante du soleil la frappa de plein fouet. Elle sentit sa gorge se nouer. Vivement l'hiver ! Le beau temps lui était insupportable tout à coup. Refoulant ses larmes, elle entra dans une boutique pour acheter des lunettes de soleil.

Elle décida ensuite de rentrer à pied en longeant les quais. Mais rapidement, ses pieds lui rappelèrent que ses élégants escarpins n'étaient pas conçus pour parcourir plus de quelques mètres.

De toute façon, elle était déjà lasse, constata-t-elle, essoufflée et en sueur. Il fallait être lucide. Elle se laissait aller depuis trop longtemps. Quoi qu'en dise Izzy, un régime s'imposait, ainsi qu'un minimum d'exercice.

Elle ne voulait plus passer ses nuits à se retourner dans son lit en essayant d'oublier qu'elle détestait son corps. Ni se lever le matin en feignant de ne pas trouver ça si grave. Et encore moins inspirer de la pitié aux hommes.

Plus jamais ça ! se dit-elle fermement. Il fallait changer ses habitudes, adopter une bonne hygiène de vie. Et acheter des chaussures de marche, ajouta-t-elle *in petto* en traversant Albert Bridge, ses escarpins à la main.

Dès qu'elle pénétra dans l'appartement en boitant, ses cousines se précipitèrent hors de la cuisine pour l'accueillir.

— Qu'y a-t-il ? lança-t-elle d'un ton vif.

La première qui lui demandait pourquoi elle avait les yeux rouges signait son arrêt de mort !

— Tu peux te vanter d'avoir fait sensation à Oxford ! répliqua Izzy.

— Pardon ?

— Le répondeur est saturé de messages ! renchérit Jemima, visiblement contrariée d'être surpassée dans ce domaine.

— La plupart sont de ce cher professeur Konig, mais il y en a aussi de sa secrétaire, d'une gamine qui dit être sa nièce et d'un étudiant avec qui tu as joué aux fléchettes hier soir, compléta Izzy.

Pepper resta sans voix.

— Geoff quelque chose, poursuivit Izzy. Il voudrait t'inviter à participer au débat de fin de trimestre, organisé par le collège pour collecter des fonds. Il a laissé un numéro où le rappeler.

— Ils ont tous laissé un numéro, intervint Jemima d'un ton caustique. Le même.

— N'exagère pas, Jay Jay ! Celui de l'étudiant est différent.

Izzy considéra Pepper avec un sourire malicieux.

— Alors, le principal du collège ne te suffit plus ? Tu fais aussi des ravages parmi les petits jeunes ?

— Si vous saviez..., marmonna Pepper.

Puis elle fila dans sa chambre avant que ses cousines aient le temps de lui demander une explication.

Après avoir jeté sa paire de collants, elle s'accorda de nouveau une douche prolongée, sous laquelle elle prit le temps de réfléchir. Quand elle sortit de la salle de bains, les pieds bien pansés de sparadrap, elle avait mis au point un plan de bataille.

D'un pas décidé, elle gagna le salon et annonça d'un ton solennel :

— Je vais entreprendre un programme de remise en forme.

Ses cousines la fixèrent d'un air ébahi.

— Je passe beaucoup trop de temps assise devant mon ordinateur, expliqua-t-elle. Il faut que je bouscule mes habitudes. Après tout, je peux très bien réfléchir en marchant. Il est temps que je me débarrasse de mes kilos superflus.

Izzy et Jemima ne se montrèrent pas aussi enthousiastes qu'elle l'espérait.

— Bonne chance ! s'exclama Jemima, visiblement sceptique.

Quant à Izzy, elle resta silencieuse.

— Merci pour votre soutien ! lança Pepper d'un ton pince-sans-rire avant de regagner sa chambre.

Peu importait l'opinion de ses cousines. Rien ni personne ne pourrait la détourner du but qu'elle s'était fixé. Elle passa le reste de la soirée sur Internet à faire des recherches.

Quand Izzy vint lui annoncer que le « cher professeur Konig » venait de rappeler, elle leva à peine les yeux de l'écran.

— Dis-lui que je suis partie sur la lune.

— Dis-le-lui toi-même, rétorqua Izzy en lui tendant le combiné.

Puis elle quitta la pièce sans lui laisser le temps de protester.

— Qui est à l'appareil ? demanda Pepper d'un ton circonspect.

Comme si elle ne le savait pas...

— Steven Konig. Il faut que nous nous voyions, répliqua-t-il d'un ton neutre, très professionnel.

— Je n'en vois pas l'utilité.

— Oh, mais si.

Il y avait à présent une pointe de malice dans sa voix, constata-t-elle, le cœur battant.

— Tu as oublié un débardeur à paillettes chez moi. Il faut que je te le rende.

— Envoie-le par la poste.

— Ce n'est pas la seule raison de mon appel. Ta grand-mère a pris contact avec moi.

Pepper en eut le souffle coupé.

— Pardon ?

— Il faut absolument que nous discutions.

Pepper ferma les yeux. L'espace d'un instant, elle se représenta dans l'appartement du principal. Dans le lit du principal... Stop ! Il fallait arrêter immédiatement !

— Discuter ne changera rien, Steven. Nous nous sommes tout dit ce matin.

Elle prit une profonde inspiration avant d'ajouter :

— Et de toute façon, je suis trop grosse.

Le cœur battant, elle attendit. C'était le moment ou jamais pour lui de se répandre en protestations indignées.

Il resta silencieux.

— S'il te plaît, ne m'appelle plus, intima-t-elle d'une voix qu'elle espérait ferme.

Puis elle raccrocha.

9.

Steven raccrocha et regarda par la fenêtre. A la lueur du crépuscule, un groupe de professeurs se promenait dans le jardin, mais il ne les vit pas. Une image le hantait. Pepper, des feuilles dans les cheveux et du pollen sur le nez, vêtue d'un ravissant petit haut à paillettes...

Puis le souvenir de sa conversation avec Mary Ellen Calhoun lui arracha un juron.

Finalement, il ne s'était pas trompé. Pepper était bien telle qu'il l'avait vue la première fois. Sa déesse flamboyante..., songea-t-il, submergé par une immense tendresse. Mais avec une grand-mère pareille, pas étonnant qu'elle puisse être complètement déboussolée !

Elle se trouvait trop grosse... Quelle absurdité ! Elle avait vraiment besoin qu'on lui remette les idées en place. Or l'alimentation, c'était le domaine de K-plant. Il avait toutes les armes à sa disposition pour combattre — et faire disparaître — les complexes stupides de sa belle déesse.

Dès le lendemain matin, Pepper prit les mesures nécessaires pour démarrer sa nouvelle vie. Elle prit contact avec un *coach* et s'inscrivit à un programme associant une thérapie de groupe et des conseils diététiques personnalisés. Puis elle loua un bureau pour y installer le siège de sa société et enfin, elle acheta des chaussures de marche.

— A partir d'aujourd'hui, je vais au travail à pied, annonça-t-elle à ses cousines.

— Sage décision, approuva Izzy.

Jemima se leva du canapé et quitta le salon.

— Elle a l'impression que tu lui fais concurrence, expliqua Izzy. Ne lui prête pas attention. Quel est ton objectif ?

— Je n'ai pas d'objectif précis, répliqua Pepper. Je veux juste me sentir bien dans ma peau.

Inutile de préciser à Izzy que se remettre de son échec avec Steven Konig serait un bon début... Heureusement que son emploi du temps des jours suivants était chargé : elle n'aurait sûrement pas le temps de se morfondre en pensant à lui.

En effet, entre le début des travaux de la boutique, qu'elle tenait à surveiller de près, les réunions avec le styliste, la préparation du catalogue et son programme de remise en forme, elle fut débordée.

Steven l'avait sûrement effacée de sa mémoire, se dit-elle au bout d'un moment. Cela valait mieux pour eux deux. Du moins finirait-elle sûrement par s'en convaincre en se le répétant plusieurs fois par jour...

Un matin, à sa grande surprise, elle trouva dans sa messagerie électronique un courrier provenant de Queen Margaret's. Le cœur battant à tout rompre, elle l'ouvrit.

Ayant pour objet « L'américaine moyenne », il était complètement inattendu.

« L'Américaine idéale mesure un mètre soixante-dix, pèse cinquante kilos et s'habille en taille 36. L'Américaine moyenne mesure un mètre soixante-deux, pèse soixante kilos et s'habille en 40. (Fraser, 1997, Les kilos superflus : l'imposture. Family Therapy Networker, pp. 44 +.)

Suivait ce bref commentaire :

» Est-ce suffisamment clair ?
S.K. »

Pepper faillit s'étrangler.

— Que se passe-t-il ? demanda Izzy, installée de l'autre côté du bureau.

— Viens voir le message que m'a envoyé Steven Konig.

Izzy fit le tour du bureau pour consulter l'écran de Pepper.

— Décidément, je le trouve de plus en plus intéressant, ce cher professeur, commenta-t-elle avec un sourire ravi.

A partir de ce jour-là, Pepper trouva un nouveau message du même genre tous les matins.

— Je n'arrive pas à y croire ! C'est une vraie campagne de propagande !

— En tout cas, il a trouvé le moyen plus efficace de se faire entendre, déclara Izzy, de plus en plus admirative. Il est malin. Très malin...

— Pourquoi ne me téléphone-t-il pas ? s'exclama Pepper avec frustration.

Certes, elle lui avait demandé de ne plus l'appeler. Mais était-il vraiment obligé de respecter sa volonté ? Etre scrupuleux à ce point était insensé !

Chaque matin, Pepper faisait donc plusieurs fois le tour du parc en marchant à allure rapide pour tenter de calmer son irritation.

Un soir, n'y tenant plus, elle finit par exposer son problème au cours de la séance de thérapie de groupe.

— Donne-lui une chance ! lança l'un des participants, exprimant visiblement l'opinion générale. Téléphone-lui ! Il le mérite et tu en as envie.

C'était vrai. Il fallait le reconnaître... Par ailleurs, tout laissait supposer que Steven n'attendait que cela.

Un jour, elle finit par se trouver presque désœuvrée. Les bons à tirer du catalogue étaient chez l'imprimeur. Le chantier de la boutique touchait à sa fin. Quant à la réception des premières livraisons, Izzy s'en occupait avec efficacité.

Pas de doute, elle n'avait plus aucun prétexte valable pour remettre ce coup de téléphone. Alors pourquoi hésiter plus longtemps ?

Ce fut Valerie qui lui répondit.

Le principal n'était pas dans son bureau, annonça-t-elle sèchement. Il assistait à une réunion du comité de collecte de fonds et serait pris toute la journée. Son emploi du temps était très chargé cette semaine, mais elle pouvait prendre un message, précisa-t-elle avec un manque d'enthousiasme flagrant.

Déçue, Pepper laissa ses coordonnées et raccrocha. Elle tournait en rond dans son bureau quand la sonnerie de l'Interphone retentit.

Incroyable ! Sa grand-mère se trouvait en bas de l'immeuble. Que pouvait-elle bien lui vouloir ?

Toujours sous le choc, Pepper déclencha l'ouverture de la porte et attendit sa grand-mère sur le palier. Bien sûr, les premiers mots de Mary Ellen furent des critiques.

— Cet immeuble est trop vieux ! C'est mauvais pour ton image. Ça donne aux investisseurs l'impression que tu rognes sur les coûts.

— Pas du tout, objecta Pepper d'un ton posé. Nous sommes en Grande-Bretagne et ce genre de bâtiment a beaucoup de prestige, au contraire.

Elle invita sa grand-mère à entrer mais ne l'embrassa pas et ne lui tendit pas la main.

Mary Ellen enleva ses gants et promena autour d'elle un regard dédaigneux.

— Tu as laissé tomber Calhoun Carter pour ça ?

— Comme tu vois. Tu veux un café ?

— Tu n'as même pas de secrétaire ?

— Elle est partie à l'entrepôt.

Pepper servit le café comme l'aimait sa grand-mère — noir avec quatre cuillères de sucre — et le lui porta. Même Mary Ellen Calhoun ne pouvait rien trouver à redire à son service en porcelaine, songea-t-elle avec dérision.

— Prends un siège.

— Je ne reste pas. Je n'en ai pas pour longtemps.

De toute évidence, Mary Ellen n'était pas venue pour faire la paix.

— J'ai vu certains articles sur le lancement de ta société, poursuivit son aïeule.

— Je n'ai pas utilisé le nom Calhoun, se hâta de faire valoir Pepper.

— J'ai remarqué. Je suis venue te proposer un marché.

Attention danger ! songea aussitôt Pepper.

— Tu réintègres le conseil d'administration de Calhoun Carter et le groupe investit dans ton projet tous les capitaux nécessaires, poursuivit Mary Ellen d'une voix suave. Tu conserveras un rôle de consultante, bien sûr.

Pepper partit d'un rire sonore.

— Tu ne changeras donc jamais ! Combien de fois faudra-t-il que je te dise que ton marché ne m'intéresse pas ? Je n'ai besoin de personne pour développer mon projet. Surtout pas de Calhoun Carter.

Mary Ellen posa sa tasse.

— Ta relation avec cet homme, c'est du sérieux ?

Pepper tressaillit.

— Pardon ?

— Ce... professeur d'Oxford.

Pepper sentit une rage froide l'envahir.

— Tu es tellement naïve ! lança Mary Ellen d'un ton venimeux. Tu t'imagines vraiment que ça peut marcher entre vous ? Redescends sur terre, ma pauvre fille !

— Je ne vois pas de quoi tu veux parler.

— Il a envoyé un courrier électronique au siège pour retrouver ta trace, il y a quelques semaines. Pourquoi aurait-il fait cela s'il n'avait pas une idée derrière la tête ?

Tout à coup, Pepper n'éprouva plus qu'une immense pitié pour sa grand-mère.

— Si tu parles de Steven Konig, je ne pense pas que ma relation avec lui te regarde.

— Si c'est moi qui dois payer l'addition, ça me regarde.

Pepper éclata de rire. Entre deux hoquets, elle réussit à dire :

— Non, grand-mère. Crois-moi, je n'ai aucune envie que tu m'achètes un homme. Et même si j'en avais envie, Steven Konig n'est pas à vendre.

— Tu t'imagines sans doute que tu peux le séduire toute seule ? Comment comptes-tu t'y prendre ? Tu t'es regardée ? Ce Konig est un homme brillant, d'après ce que j'ai entendu dire. Et séduisant, paraît-il. Tu n'as aucune chance !

— Tu pourrais bien avoir tort, grand-mère.

Le plus extraordinaire, c'était qu'elle croyait réellement à ce qu'elle disait ! constata Pepper avec surprise. Jamais elle ne s'était sentie aussi sûre d'elle !

Mary Ellen continua de jouer les Cassandre, mais Pepper ne l'écoutait plus. Elle y croyait ! Steven l'aimait pour elle-même. Il lui en donnait la preuve quotidiennement depuis des jours ! La balle était dans son camp, à présent : c'était à elle de faire le premier pas. Un simple coup de téléphone n'était pas suffisant...

— Désolée de te presser, grand-mère, mais j'ai une foule de choses à faire.

Elle tendit ses gants à Mary Ellen et la poussa gentiment dehors.

Une fois seule, elle commença par louer une limousine pour la conduire à Oxford. Au cours des trois derniers mois, elle avait appris à limiter ses dépenses, mais ce n'était plus le moment de lésiner. Après tout, son avenir et son bonheur étaient en jeu !

— C'est une idée géniale, dit Geoff quand il vint la chercher dans le pavillon du gardien.

Pourvu qu'il ait raison ! songea Pepper avec anxiété.

— Vous n'en avez parlé à personne ? demanda-t-elle d'un air qui se voulait dégagé.

— A personne. Pas même au journaliste à qui j'ai demandé de se tenir prêt dans le hall pour la fin du dîner.

Geoff eut un sourire ravi.

— Ça va faire sensation.

— En tout cas... c'est le but recherché !

— Vous avez besoin de vous changer ?

Pepper acquiesça de la tête. La robe qu'elle avait apportée était extrêmement féminine. Merci la thérapie de groupe ! Non qu'elle ait perdu beaucoup de poids, mais elle avait aujourd'hui suffisamment confiance en elle pour porter une tenue de ce genre.

— Vous pouvez utiliser ma chambre, proposa Geoff. Il reste une demi-heure avant le début de la réception. A ce sujet, je me suis arrangé avec un étudiant qui avait inscrit sa petite amie : une place est prévue pour vous, mais votre nom n'apparaît pas sur la liste des invités.

Il eut un petit rire ravi.

— Je me demande quelle sera la tête de Steven quand il vous verra !

10.

Porter cette robe était déjà toute une aventure, songea Pepper en l'enfilant. Surtout pour une femme habituée à ne mettre que des tailleurs stricts... Non seulement elle descendait jusqu'aux chevilles mais elle offrait plusieurs nuances de rouge, du rubis le plus sombre à l'incarnat, en passant par le vermillon.

— Elle n'est pas faite pour une rousse, avait objecté Pepper quand Izzy l'avait choisie parmi les premiers modèles livrés par le jeune styliste.

Sa cousine avait levé les yeux au ciel.

— Essaie-la avant de dire des sottises !

A sa grande surprise, elle avait été obligée de reconnaître qu'Izzy avait raison. La soie chatoyante semblait avoir été cousue sur elle, et au lieu de jurer avec sa crinière flamboyante, les reflets rouges la mettait admirablement en valeur. Cette robe était une véritable splendeur, et elle s'y sentait comme dans une seconde peau.

— Je la prends. Dis à Eva qu'il nous en faut une autre pour la remplacer.

Une fois que Pepper eut payé, étrennant par la même occasion la machine à cartes bancaires, Izzy et elle avaient porté un toast à la première vente enregistrée au crédit du Grenier.

A présent, par une douce soirée d'été, elle s'apprêtait à traverser une cour médiévale, les épaules nues sous la caresse de la brise, les mains gantées de velours cramoisi et les cheveux relevés en chignon.

A son côté, tout excité, Geoff avait tenu à revêtir un smoking pour l'occasion. Comme tous les membres de son petit groupe d'amis...

Elle avait du mal à le croire : elle se rendait à son premier dîner à Queen Margaret's entourée d'une escorte de jeunes hommes tirés à quatre épingles !

Ayant tout préparé dans les moindres détails, ils avaient prévu de s'installer à une des tables les plus éloignées de l'estrade, sur laquelle était dressée la table d'honneur, réservée aux dignitaires — dont le principal — et aux membres du comité de collecte de fonds.

Pepper s'humecta nerveusement les lèvres tandis que les serveurs allumaient les bougies sur les tables. L'atmosphère était irréelle. Dans ce décor d'un autre âge, baigné par les derniers rayons du soleil qui filtraient à travers les vitraux, ses compagnons discutaient avec décontraction de logiciels informatiques, comme si cette soirée n'avait rien d'exceptionnel.

— Il ne manque plus que les ménestrels, marmonna-t-elle.

Geoff interrompit sa conversation pour déclarer d'un air faussement vexé :

— J'essaierai d'y penser la prochaine fois, mais il faudra me prévenir plus de quatre heures à l'avance !

Pourvu que personne ne remarque qu'elle était terrorisée ! songea-t-elle en promenant son regard autour d'elle.

Soudain un coup de gong retentit, et toute l'assemblée se leva pour accueillir les convives de la table d'honneur, tous vêtus de la toge de professeur. « On se croirait à une convention de magiciens », se dit Pepper, de plus en plus impressionnée.

Steven paraissait si inaccessible dans sa toge noire... Presque méconnaissable, il donnait l'impression de porter tout le poids du monde sur ses épaules.

Les actions de grâce furent dites brièvement en latin, puis tout le monde s'assit et les conversations reprirent.

— A en juger par la mine de Steven, la collecte de fonds ne s'annonce pas fameuse, dit un étudiant à Geoff.

— Justement, nous allons y remédier. N'est-ce pas, Pepper ?

Elle déglutit péniblement.

— C'est ce qui est prévu, oui.

Le repas semblait délicieux, mais Pepper avait la gorge trop nouée pour pouvoir avaler une seule bouchée.

— Encore combien de temps avant le moment fatidique ? demanda-t-elle à Geoff quand on servit le porto.

Il promena son regard autour de la salle. Les bougies étaient pratiquement consumées. Plusieurs personnes s'étaient déjà rendues jusqu'à l'estrade pour saluer le principal avant de se retirer. La fin du repas était proche.

— Quand vous voulez, répondit le jeune homme.

L'estomac noué, Pepper prit une profonde inspiration et se leva.

Toutes les femmes de l'assemblée étant vêtues avec élégance, les regards qui se tournèrent vers elle n'exprimèrent d'abord qu'une curiosité limitée. Mais peu à peu, tandis qu'elle s'avançait lentement vers l'estrade, les convives prirent conscience de deux choses : ils ne l'avaient jamais vue dans le collège auparavant et Steven Konig la fixait d'un air médusé. Le brouhaha des conversations s'estompa progressivement.

Pepper sentit ses jambes vaciller. Pourvu qu'elle ne se torde pas les pieds dans ses sandales extravagantes !

A son grand soulagement, elle arriva sans encombre jusqu'à l'estrade. Là, au lieu de saluer brièvement avant de quitter la salle, comme c'était la coutume, elle monta les quatre marches et s'immobilisa devant le principal.

Dans un silence absolu, ce dernier se leva sans la quitter des yeux.

Retirant son gant droit, elle le posa sur la table.

— Je vous propose de m'affronter lors du débat de fin de trimestre, monsieur le principal. Relevez-vous le défi ?

Comme s'ils étaient seuls au monde, Steven la couvait d'un regard brûlant. Furieuse contre elle-même, Pepper sentit ses joues s'enflammer. Elle était irritée contre lui également : il n'était pas censé darder sur elle ce regard pénétrant ! Ce n'était ni le lieu ni l'heure. Il devait relever le défi. Afin que les étudiants puissent courir avertir la presse... A son grand dam, il continua de la regarder comme s'il avait perdu à tout jamais l'usage de la parole.

— Quelle est votre réponse ? insista-t-elle d'une voix mal assurée.

— Pardon ?

Hypnotisé, il continuait de la dévorer des yeux comme s'il était sur le point de faire glisser les fines bretelles de sa robe...

Redressant les épaules, Pepper précisa :

— Je vous propose de m'affronter lors d'un débat public dont les droits d'entrée seraient versés au fonds d'entretien du collège.

Un murmure approbateur parcourut la table d'honneur.

Un homme d'un certain âge au visage rond déclara d'une voix mielleuse :

— Je vous conseille d'accepter, monsieur le principal.

Steven sortit enfin de sa torpeur.

— Merci de votre conseil monsieur le doyen. Très judicieux, comme toujours.

S'inclinant devant Pepper, il ajouta.

— J'accepte avec plaisir, mademoiselle Calhoun.

Des exclamations de joie fusèrent dans l'assistance, puis des applaudissements crépitèrent.

Intimidée, elle resta un instant indécise, puis, en priant pour ne pas se prendre les pieds dans sa robe ni se tordre les chevilles sur ses talons aiguilles, elle redescendit les marches. Steven s'empressa de la rejoindre et lui prit la main.

— Permettez-moi de vous aider.

Sa voix avait un son étrange, songea-t-elle en levant les yeux vers lui. Au même instant, elle trébucha.

Il la rattrapa, glissa un bras autour de sa taille et l'entraîna dehors. Sans prononcer un seul mot, sans faire de détour par le jardin, il l'emmena directement dans son appartement.

A peine eurent-ils atteint le salon qu'il la prit dans ses bras et s'empara de sa bouche dans un long baiser passionné.

— Je le savais, murmura-t-il quand il finit par s'arracher à ses lèvres.

Chancelante, elle leva vers lui un regard interrogateur.

— Je suis amoureux de toi.

A ces mots, le cœur de Pepper fit un tel bond dans sa poitrine qu'elle crut défaillir.

— Cependant, il y a certaines choses que tu dois savoir, poursuivit-il d'une voix rauque.

Pepper enleva ses chaussures, puis elle se laissa tomber sur le canapé et replia ses jambes sous sa robe. Prenant une profonde inspiration, elle demanda :

— Tu vas me parler de Courtney ?

Il la fixa d'un air stupéfait.

— Comment connais-tu son existence ?

— C'est toi qui as fait allusion à elle l'autre soir. Manifestement, c'est une femme qui t'a beaucoup marqué.

— Oui, en effet. Oh, c'est une histoire très classique. J'avais un ami… mon meilleur ami, Tom, dont je t'ai déjà parlé aussi. Il était comme mon frère. Courtney m'a quitté pour lui.

— Tu as dû beaucoup souffrir.

— Oui, en effet. Beaucoup et longtemps. Mais c'est fini, à présent.

Pepper eut l'impression qu'il venait de lui enlever délicatement l'épine qui faisait saigner son cœur.

— Qu'est-elle devenue ? La vois-tu toujours ?

— Je l'ai revue il n'y a pas longtemps. C'est la mère d'Amaryllis.

Pepper mit quelques secondes à assimiler cette information.

— Je vois. Jan... Amaryllis est donc la fille de celui qui était presque un frère pour toi ?

Il hocha la tête.

— A la mort de mon père, ses parents m'ont recueilli. Quand Tom m'a demandé d'être le parrain d'Amaryllis, je n'ai pas eu le cœur de refuser.

D'une voix étrangement crispée, il ajouta :

— Elle va sans doute rester assez longtemps avec moi. Sa mère me l'a confiée pour une période indéterminée.

— Pauvre fillette !

— Tu... Ça ne t'ennuie pas ?

Pepper ouvrit de grands yeux.

— Pourquoi veux-tu que ça m'ennuie ?

— Je pensais que sa présence te dérangeait.

Elle secoua la tête, atterrée.

— D'où t'est venue cette idée ?

— L'autre matin, tu ne te rappelais même pas son prénom. J'en ai conclu que sa présence t'importunait.

Pepper se leva d'un bond.

— Pas du tout ! Je ne savais pas comment l'appeler parce que je ne la connais que sous le prénom de Janice.

— Janice ?

Pepper pouffa.

— C'est elle qui a prétendu s'appeler ainsi le jour où elle m'a donné de précieux conseils de maquillage dans les toilettes d'Indigo Television. J'ai tout de suite compris qu'elle mentait, mais je ne me doutais pas qu'elle avait un prénom aussi ridicule. Amaryllis ! Pauvre enfant...

Avec un rire joyeux, Steven se laissa tomber à côté d'elle sur le canapé. Il lui prit les mains.

— Alors tu n'es pas jalouse de Courtney ?

— J'ai failli l'être tout à l'heure, mais plus maintenant.

Il effleura ses lèvres d'un baiser furtif.

— Tu as raison parce qu'elle ne m'a jamais ému autant que toi.

— Ah.

Pourquoi ne parvenait-elle pas à affronter son regard ? se demanda Pepper. C'était vraiment stupide, mais elle en était incapable.

— Ecoute... je suis très flattée, mais...

— Mais tu ne me crois pas.

La voix de Steven était étonnamment calme. Lui jetant un bref coup d'œil, Pepper tressaillit. Il n'avait pas le droit de la dévorer ainsi des yeux ! Surtout dans sa toge de professeur...

— J'aimerais te croire, mais j'ai été moi aussi marquée par des expériences malheureuses qui m'ont profondément déstabilisée.

Elle s'interrompit un instant. Allons, du courage ! Si elle ne se confiait pas maintenant à Steven, elle ne le ferait plus jamais. Or elle lui devait la vérité. Prenant une profonde inspiration, elle reprit.

— J'ai découvert... récemment... que tous mes petits amis avaient été manipulés par ma grand-mère.

— Je ne comprends pas.

Elle lui parla d'Ed Ivanov et lui raconta son entrevue avec sa grand-mère dans la cabane.

— Je m'en veux tellement d'avoir été aussi naïve ! J'ai cru qu'Ed était réellement attiré par moi. J'ai même cru à l'amour de ma grand-mère ! Quelle idiote ! Je donnerai cher pour ressembler à mes cousines.

— Ce qui veut dire ? s'enquit-il d'un ton crispé.

— Elles sont beaucoup plus douées que moi pour les relations sentimentales.

— Traduction, s'il te plaît ?

Steven semblait de plus en plus tendu.

— Quand nous... Quand je... Le jour où..., bredouilla-t-elle.

— ... nous avons passé la nuit ensemble ?

A son grand dam, elle sentit tout son visage s'empourprer.

— Le matin, je n'ai pas su m'exprimer et... Si tu savais à quel point j'ai regretté d'être partie sur un malentendu !

Une lueur s'alluma dans les yeux de Steven.

— A propos, je t'ai dit tout à l'heure que Courtney ne m'avait jamais autant ému que toi. Eh bien, ce matin-là, je me suis également aperçu pour mon plus grand malheur qu'elle ne m'avait jamais fait autant souffrir que toi.

— C'est vrai ?

Il éclata de rire.

— Bien sûr ! Si tu voyais ta tête ! Quand vas-tu te décider à me faire confiance ? Il est temps que tu cesses de te torturer pour de faux problèmes ! Veux-tu m'épouser ?

Pepper crut que son cœur allait cesser de battre. Clouée sur place, elle le fixa avec stupeur.

Voyant qu'elle restait muette, Steven émit un grognement de protestation.

— Préfères-tu que je te repose la question au cours de notre grand débat ?

— Serais-tu prêt à le faire ?

— S'il le faut, oui.

— Mais cette perspective ne t'enchante pas.

— Etant donné que j'ai déjà demandé ta main à ta gorgone de grand-mère, répéter la chose devant tout Queen Margaret's sera un jeu d'enfant en comparaison.

Elle se figea.

— Tu as parlé à ma grand-mère ?

— Quand j'essayais de retrouver ta trace après notre passage à Indigo, j'avais envoyé un courrier électronique au siège de Calhoun Carter. Je ne sais pas ce qui l'a poussée à venir jusqu'ici cette semaine, mais en tout cas, elle m'a promis un pactole si je te persuadais de retourner aux Etats-Unis.

— Elle a osé... ?

— Oui, et je regrette que tu n'aies pas vu le regard haineux qu'elle a dardé sur moi quand je lui ai rétorqué que son argent ne m'intéressait pas... Ensuite, je lui ai demandé ta main en bonne et due forme en lui précisant que son accord était de toute façon superflu.

Dire qu'elle avait osé tenter une dernière manœuvre l'après-midi même ! songea Pepper, écœurée. Les paroles perfides de Mary Ellen Calhoun résonnaient encore à ses oreilles. « Tu t'imagines sans doute que tu peux le séduire toute seule ? Tu n'as aucune chance ! »

Lui prenant les deux mains, Steven plongea son regard dans le sien et déclara avec emphase :

— Penelope Anne Calhoun, tu es la femme la plus divine que j'aie jamais connue. Depuis notre première rencontre, ce jour béni où tu es tombée dans mes bras au-dessus de l'Atlantique, mon cœur t'appartient et ma raison est menacée. Par pitié, épouse-moi avant que je devienne complètement fou !

— Je ne vois pas comment je pourrais refuser, répondit-elle avec un rire joyeux.

— Tu dois me promettre également d'avoir désormais une très haute opinion de toi-même. Je ne veux plus t'entendre te plaindre de tes soi-disant kilos superflus. Sache que tu as un corps splendide et qu'il n'y a rien de plus attirant que des formes bien féminines.

D'un seul coup, tous les complexes qui gâchaient la vie de Pepper depuis des années s'évanouirent. Mais, déjà, Steven faisait glisser sur ses épaules les fines bretelles de sa robe.

— Figure-toi que les femmes peintes par Rubens sont parmi les plus sexy au monde, affirma-t-il en enlevant sa toge.

Puis il se pencha sur elle, la souleva du canapé et la renversa sur son épaule.

— Steven !

— Barbe-noire a toujours eu un goût très sûr.

Sourd à ses protestations, il la transporta ainsi jusqu'à sa chambre.

Épilogue

Le débat de fin de trimestre se déroula devant une salle bondée. La verve des orateurs fut très appréciée et leurs échanges largement cités dans les médias. Un ancien étudiant aussi fortuné qu'enthousiaste offrit de prendre en charge les réparations du toit. Jamais la collecte de fonds n'avait connu un tel succès. Même le doyen reconnut les mérites de Steven Konig.

Bien sûr, l'approche de son mariage avec la brillante femme d'affaires Penelope Anne Calhoun ajouta au prestige de l'événement, même si le doyen n'apprécia que moyennement qu'ils se tiennent la main en public.

De jour en jour, Pepper gagnait en assurance. Steven était tellement démonstratif qu'elle se laissa très vite aller à lui exprimer elle aussi sa tendresse en toutes circonstances.

Avant d'annoncer officiellement la nouvelle de leurs fiançailles, ils avaient tenu à en réserver la primeur à Amaryllis. Ils choisirent un jour où, leur ayant exceptionnellement réservé un créneau dans son emploi du temps surchargé, la fillette avait accepté de pique-niquer avec eux.

Ils étaient tous les trois assis au milieu d'une pelouse fraîchement tondue. Pepper, appuyée contre Steven, offrait son visage aux rayons du soleil en se délectant de l'odeur d'herbe coupée.

Quand ils l'eurent mise au courant, Amaryllis les considéra tous les deux d'un air grave, puis elle s'adressa à Pepper.

— Sais-tu t'occuper d'enfants ?

— Pas du tout, répondit Pepper, soudain inquiète. Est-ce que c'est embêtant ?

Après avoir réfléchi un instant, Amaryllis secoua la tête.

— Non, ne t'inquiète pas. Oncle Steven et moi nous t'apprendrons.

— Merci, répliqua Pepper, sincèrement soulagée.

— De rien, c'est tout naturel, conclut la petite fille avant de les quitter pour aller jouer.

— Tu penses sincèrement que ce mariage ne lui pose pas de problème ? demanda Pepper avec une pointe d'anxiété.

— A mon avis, elle est beaucoup plus préoccupée par son changement de prénom. Je ne serais pas étonné qu'elle nous suggère de profiter de notre mariage pour l'officialiser.

Pepper pouffa.

— Pourquoi pas ? reprit Steven. Ce serait un changement de plus.

Il la serra tendrement contre lui.

— Il y a quelques mois je n'avais aucune famille et aujourd'hui...

— ... tu es un homme écrasé de responsabilités, compléta-t-elle avec un sourire malicieux.

Il lui prit la main et la porta à ses lèvres en l'enveloppant d'un regard plein de tendresse.

— Non, ma chérie. Aujourd'hui, je suis un homme comblé.

Le nouveau visage de la collection Or

AMOURS D'AUJOURD'HUI

Afin de mieux exprimer sa modernité et de vous séduire encore davantage, votre collection Or a changé de couverture et de nom depuis le 1er mars 1995.

Rassurez-vous, les romans, eux, ne changent pas, et vous pourrez retrouver dans la collection **Amours d'Aujourd'hui** tous vos auteurs préférés.

Comme chaque mois, en effet, vous y attendent des héros d'aujourd'hui, aux prises avec des passions fortes et des situations difficiles...

COLLECTION
AMOURS D'AUJOURD'HUI :
Quand l'amour guérit des blessures de la vie...

LE FORUM DES LECTEURS ET LECTRICES

CHERS(ES) LECTEURS ET LECTRICES,

VOUS NOUS ETES FIDÈLES DEPUIS LONGTEMPS?

VOUS VENEZ DE FAIRE NOTRE CONNAISSANCE?

SI VOUS AVEZ DES COMMENTAIRES, DES CRITIQUES À FORMULER, DES SUGGESTIONS À OFFRIR, N'HÉSITEZ PAS... ÉCRIVEZ-NOUS À:

LES ENTERPRISES HARLEQUIN LTÉE.
498 RUE ODILE
FABREVILLE, LAVAL, QUÉBEC.
H7R 5X1

C'EST AVEC VOS PRÉCIEUX COMMENTAIRES QUE NOUS ALLONS POUVOIR MIEUX VOUS SERVIR.

DE PLUS, SI VOUS DÉSIREZ RECEVOIR UNE OU PLUSIEURS DE VOS SÉRIES HARLEQUIN PRÉFÉRÉE(S) À VOTRE DOMICILE, NE TARDEZ PAS À CONTACTER LE SERVICE D'ABONNEMENT; EN APPELANT AU (514) 875-4444 (RÉGION DE MONTRÉAL) OU 1-800-667-4444 (EXTÉRIEUR DE MONTRÉAL) OU TÉLÉCOPIEUR (514) 523-4444 OU COURRIER ELECTRONIQUE: AQCOURRIER@ABONNEMENT.QC.CA OU EN ÉCRIVANT À:

ABONNEMENT QUÉBEC
525 RUE LOUIS-PASTEUR
BOUCHERVILLE, QUÉBEC
J4B 8E7

MERCI, À L'AVANCE, DE VOTRE COOPÉRATION.

BONNE LECTURE.

HARLEQUIN.

VOTRE PASSEPORT POUR LE MONDE DE L'AMOUR.

Composé et édité par les
éditions Harlequin
Achevé d'imprimer en décembre 2004

à Saint-Amand-Montrond (Cher)
Dépôt légal : janvier 2005
N° d'imprimeur : 45336 — N° d'éditeur : 11000

Imprimé en France